100 recettes végétariennes en 5 ingrédients

100 recettes
végétariennes
en 5 ingrédients

MARABOUT

Publié pour la première fois en Grande-Bretagne en 2015 sous le titre *Just 5 ingredients – Vegetarian*.

© 2015 Octopus Publishing Group Ltd.
© 2015 Hachette Livre (Marabout)
pour la traduction et l'adaptation françaises.

Crédits photos © Octopus Publishing

Traduit de l'anglais par Babelscope, Virginie Boitelle, Christine Chareyre, Simona Colletta, Constance de Mascureau, Véronique Dreyfus, Pascale Paolini, Florence Raffy, Catherine Vandevyvère,

Xavière Boitelle, Virginie Bordeaux, Christine Chareyre, Simona Colletta, Constance de Mascureau, Véronique Dreyfus, Maud Kesteloot, Valentine Morizot, Pascale Paolini, Céline Petit, Florence Raffy, Aude Sécheret, Catherine Vandevyvère
Mise en pages : les PAOistes
Correction : Pierre Jaskarzec

Pour Marabout, le principe est d'utiliser des papiers composés de fibres naturelles, renouvelables, recyclables et fabriquées à partir de bois issus de forêts qui adoptent un système d'aménagement durable. En outre, Marabout attend de ses fournisseurs de papier qu'ils s'inscrivent dans une démarche de certification environnementale reconnue.

Édité par Hachette Livre
43, quai de Grenelle,
75905 Paris Cedex 15

Achevé d'imprimer en octobre 2014
sur les presses de Pollina, France - L70063
85.5565.9 / 01
ISBN : 978-2-501-10043-4
Dépôt légal : janvier 2015

sommaire

INTRODUCTION

Les recettes de ce livre ont été choisies non seulement parce qu'elles sont simples et délicieuses, mais aussi parce qu'elles ne nécessitent pas plus de cinq ingrédients.

Cette approche minimaliste de la cuisine vous aidera à créer un répertoire de plats rapides, faciles et adaptables qui, en plus d'être économiques et savoureux, nécessitent peu de courses et de préparation. Vous apprendrez à maîtriser des recettes basiques en un temps record et à vous rendre compte que cuisiner soi-même apporte satisfaction et fierté.

Ce type de cuisine va vous faciliter la vie de plusieurs façons. D'abord, les recettes étant simples, elles impliquent peu de manœuvres délicates. Ensuite, les listes de courses sont courtes et faciles à faire – combien de temps perdez-vous habituellement au supermarché à chercher ce que vous allez préparer à manger ? Enfin, le principe des cinq ingrédients est économique – finis les sachets à moitié entamés d'ingrédients de précédentes recettes que vous ne réutiliserez jamais ! Contrairement aux autres livres de recettes minimalistes, celui-ci ne recèle pas de nombreux ingrédients cachés. Cette collection ne nécessite de stocker qu'une dizaine d'ingrédients supplémentaires – vous aurez sans doute même déjà ces basiques peu coûteux dans vos placards.

Commencez par acheter les ingrédients de votre garde-manger pour la semaine (voir pages 11 et 13). Gardez-en quelques-uns en permanence chez vous, afin qu'il ne vous manque pas plus de cinq ingrédients pour réaliser un bon repas à tout moment.

Ensuite, choisissez une recette selon le temps dont vous disposez, votre énergie et votre humeur. Vérifiez les ingrédients du garde-manger qu'il vous faudra. Les cinq ingrédients essentiels à ajouter pour réaliser la recette sont clairement numérotés. L'un des meilleurs moyens de se nourrir à moindres frais est d'éviter les aliments transformés, souvent coûteux. Privilégiez les ingrédients simples tels que légumes, riz, pâtes, poisson et poulet, et composez vos repas autour d'eux. Essayez également d'éviter de gâcher et de ne pas dépenser d'argent pour des aliments que vous ne mangerez pas et qui finiront à la poubelle. Achetez des choses qui se gardent et planifiez vos repas en fonction de la durée de conservation des aliments. Si vous le pouvez, congelez les restes pour un autre jour.

Faites des menus pour n'avoir à faire les courses qu'une fois par semaine. Quand vous aurez pris cette habitude, vous disposerez des ingrédients de chaque repas au moment où vous en aurez besoin.

Achetez en vrac pour payer moins cher. Prenez le temps de comparer les prix au supermarché, sur Internet, dans les commerces de votre quartier et sur les marchés. N'achetez que des fruits et légumes de saison. Non seulement ils seront d'un meilleur rapport qualité-prix que des produits exotiques importés par avion, mais vous réduirez en plus l'impact écologique de votre alimentation. Enfin, ne vous laissez pas

tenter par une offre spéciale si elle ne concerne pas quelque chose que vous utiliserez vraiment. Trois boîtes de sardines à la moutarde pour le prix d'une ne sont une bonne affaire que si vous les mangez.

Vous constaterez qu'être végétarien, cuisiner pour un végétarien ou choisir de faire quelques repas sans viande chaque semaine est facile de nos jours, puisque les supermarchés et les magasins de produits bio ou diététiques proposent des ingrédients permettant de préparer des plats végétariens savoureux et rassasiants.

Ingrédients

Pour tous les végétariens, il peut être difficile d'éviter certains produits. Par exemple, des graisses animales et des ingrédients tels que la gélatine sont parfois utilisés dans des aliments industriels. La présure, qui est extraite de l'estomac de ruminants, est souvent employée pour fabriquer les fromages. Certains pots de pâte de curry peuvent aussi contenir de

la crevette. Dans de nombreux cas, des options végétariennes peuvent remplacer ces ingrédients ; mieux vaut donc prendre le temps de lire les étiquettes.

Fromage

Le fromage constitue une bonne source de protéines pour les végétariens, mais vérifiez toujours sur l'étiquette qu'il ne contient pas de présure animale. Certains fromages à pâte dure sont encore fabriqués avec de la présure animale, bien que les enzymes microbiennes soient de plus en plus utilisées, notamment dans l'industrie parce que ce sont des coagulants homogènes et peu coûteux.

Le terme « enzyme microbienne » signifie qu'il s'agit d'un coagulant synthétique, tandis que la « présure végétale » est issue d'une source végétale. Les fromages à pâte fraîche sont fabriqués sans présure. Il arrive cependant qu'un cottage cheese contienne de la gélatine issue de sources animales.

Les fromages suivants conviennent aux végétariens et il est utile de les avoir dans son réfrigérateur : chèvre, feta, mozzarella, emmental végétarien, fromage pour pâtes végétarien (remplace idéalement le parmesan dans les risottos et les pâtes), taleggio et ricotta. Le mode de fabrication varie selon les marques, vérifiez bien sur l'étiquette que ces fromages ne contiennent pas de présure animale.

Protéines

Les légumineuses, telles que les petits pois, les haricots ou encore les lentilles, constituent d'excellentes sources de protéines, elles sont peu coûteuses et contiennent en outre des minéraux (fer, zinc et calcium, notamment). Les produits à base de soja, comme le tofu et certains substituts de viande, contiennent une « mycoprotéine » et sont vendus sous forme de hachis, de steaks, de filets et de saucisses. Les œufs, les produits laitiers, les fruits à coque et les graines sont également de bonnes sources de zinc, de calcium, de fer et de protéines.

Fer

Le fer est indispensable à la formation des globules rouges et il prévient l'anémie. Parmi les sources de fer végétariennes figurent les œufs, les légumes verts à feuilles, le pain complet, la mélasse, les fruits secs (surtout les abricots), les légumineuses, les céréales enrichies en vitamines et minéraux, le beurre de cacahuètes et les graines de courge, de sésame et de tournesol. Le fer des sources végétales n'est pas aussi bien assimilé que celui des sources animales. La consommation d'aliments riches en vitamine C améliore l'absorption du fer. Buvez du jus de fruits pour accompagner vos céréales au petit déjeuner, ou pressez du citron frais sur les légumes verts et les salades.

menu pour la semaine
faites-vous plaisir !

LUNDI
Tarte aux tomates
et à la feta
(voir page 62)

MARDI
Crumble
à la betterave
et au chèvre
(voir page 78)

MERCREDI
Risotto au riz
rouge et
au potiron
(voir page 156)

JEUDI
Tarte tatin
aux échalotes
(voir page 142)

VENDREDI
Gingembre
et tofu frits
à l'aigre-douce
(voir page 158)

SAMEDI
Tarte aux oignons
rouges et
au chèvre
(voir page 134)

FONDS DE MAISON
Les seuls autres ingrédients dont vous aurez besoin !

1. Sucres

2. Farines

3. Huiles et vinaigres

4. Levure chimique

5. Sel

6. Poivre

7. Bouillon

8. Oignon

9. Ail

10. Citron et jus de citron

DIMANCHE
Mousse
onctueuse
au chocolat
(voir page 178)

(voir page 178)

LISTE DE COURSES

Fruits et légumes
- 250 g de tomates cerises allongées
- 1 kg de betteraves
- 750 g de potiron
- 500 g d'échalotes

Herbes et épices
- 1 bouquet de basilic
- ½ c. à c. de graines de carvi
- 1 c. à s. de thym citron
- 1 bouquet de thym
- 300 g de gingembre frais
- 1 petit bouquet de coriandre

Crèmerie
- 100 g de feta
- 100 g de parmesan
- 115 g de beurre doux
- 400 g de chèvre doux en bûche
- 100 ml de crème épaisse
- 3 œufs

Bouteilles, conserves et sachets
- 3 paquets de 320 g de pâte feuilletée prête à dérouler
- 3 c. à s. de pesto
- 250 g de riz rouge de Camargue
- 500 g de tofu ferme
- 2 c. à s. de sauce de soja claire
- 3 c. à s. de pâte de tamarin prête à l'emploi (ou 2 c. à s. de jus de citron vert)
- 175 g de chocolat noir
- cacao en poudre

menu pour la semaine
petit budget

LUNDI
Soupe de
poivrons rouges
(voir page 34)

MARDI
Champignons
stroganoff
(voir page 82)

MERCREDI
Omelette aux
épinards et aux
pommes de terre
(voir page 118)

JEUDI
Curry de pois
chiches
et chou frisé
(voir page 116)

VENDREDI
Spaghettis
à la tomate
sans cuisson
(voir page 88)

SAMEDI
Caldo verde
(voir page 38)

FONDS DE MAISON
Les seuls autres ingrédients dont vous aurez besoin !

1. Sucres

2. Farines

3. Huiles et vinaigres

4. Levure chimique

5. Sel

6. Poivre

7. Bouillon

8. Oignon

9. Ail

10. Citron et jus de citron

DIMANCHE
Salade aux tomates confites et à la mozzarella (voir page 56)

LISTE DE COURSES

Fruits et légumes
- 3 poivrons rouges
- 2 courgettes
- 500 g de champignons de Paris
- 250 g de pommes de terre à chair ferme (par ex. Charlotte)
- 200 g de pousses d'épinards
- 100 g de chou frisé
- 750 g de tomates très mûres
- 125 g de chou vert
- 625 g de pommes de terre farineuses
- 250 g de tomates cerises allongées
- 1 petit sachet de roquette

Herbes et épices
- 1 bouquet de ciboulette
- 1 petit bouquet de persil
- 1 bouquet de basilic
- 2 c. à c. de graines de fenouil
- 1 petit bouquet de coriandre

Crèmerie
- 1 petit pot de yaourt nature ou de crème épaisse
- 15 g de beurre
- 1 petit pot de crème fraîche
- 6 gros œufs
- 450 g de mozzarella en billes

Bouteilles, conserves et sachets
- 1 petit pot de moutarde à l'ancienne
- 1 petit pot de pâte de curry doux
- 400 g de tomates concassées en boîte
- 400 g de pois chiches en boîte
- 400 g de spaghettis
- 400 g de haricots cannellini en boîte égouttés
- 25 g de pignons de pin

5 recettes
avec des pâtes

Tout le monde apprécie un bon plat de pâtes pour se rassasier, mais on se laisse aller à cuisiner toujours les mêmes variantes. Ces recettes vous aideront à trouver l'inspiration pour élargir votre répertoire de plats de pâtes.

Salade de tortellinis aux poivrons et aux champignons (voir page 36)

Frittata de spaghettis aux courgettes (voir page 64)

Rigatonis aux tomates fraîches, piment, ail et basilic (voir page 98)

Spaghettis complets au pesto de basilic et de roquette (voir page 110)

Pâtes aux betteraves (voir page 114)

5 recettes
tout-en-un

Cuire tous les ingrédients dans le même récipient est sans doute la façon la plus facile de cuisiner. Plutôt que de tout mélanger dans une cocotte en espérant que le résultat soit mangeable, essayez ces recettes pour créer de délicieux repas en un tour de main.

Poivrons grillés farcis aux tomates
(voir page 74)

Melanzane parmigiana
(voir page 90)

Haricots blancs à la sauce tomate
(voir page 106)

Lasagnes champignons-épinards
(voir page 138)

Risotto au riz rouge et au potiron
(voir page 156)

5 recettes
pour bien démarrer la journée

Commencez la journée du bon pied avec ces savoureuses recettes végétariennes pour le petit déjeuner ou le brunch. Que vous ayez envie de salé ou de sucré, vous trouverez votre bonheur dans cette sélection.

Œufs brouillés au pesto
(voir page 66)

Frittata au maïs et au poivron
(voir page 84)

Rösti de pommes de terre et œufs au plat
(voir page 92)

Haricots blancs à la sauce tomate (voir page 106)

Bananes grillées aux myrtilles
(voir page 182)

5 recettes
à base de pommes de terre

Vous en avez assez d'accompagner toujours vos repas végétariens de pommes de terre ? Essayez ces recettes pour varier les plaisirs, en faisant des pommes de terre l'élément central et non l'accompagnement de votre plat.

Salade aux pommes de terre nouvelles, basilic et pignons de pin (voir page 30)

Soupe de petits pois, pommes de terre et roquette (voir page 40)

Soupe épicée aux pommes et pommes de terre (voir page 46)

Tortilla aux asperges et aux pommes de terre nouvelles (voir page 70)

Patates douces au four (voir page 126)

5 recettes
pour se rafraîchir

Ces recettes estivales vous feront inévitablement penser au soleil, au ciel bleu et au beau temps. Cuisinées par une froide journée d'hiver, elles mettront un peu d'été dans votre vie.

Soupe d'été aux petits pois
(voir page 26)

Salade de betteraves et d'oranges
(voir page 44)

Spaghettis aux fèves et au citron
(voir page 128)

Sorbet au melon, gingembre et citron vert
(voir page 166)

Sorbet aux fruits rouges
(voir page 168)

5 recettes

pour un pique-nique

Vous cherchez toujours un en-cas idéal à emporter ? Ces recettes vous inspireront pour vos pique-niques ou vos boîtes-repas. Préparez plusieurs portions afin d'en avoir d'avance pour la semaine.

Houmous aux haricots blancs, au citron et au romarin (voir page 104)

Taboulé aux pistaches et pruneaux (voir page 108)

Omelette aux épinards et aux pommes de terre (voir page 118)

Salade de nouilles soba à la japonaise (voir page 146)

Salade au riz sauvage et au chèvre (voir page 148)

soupes
& salades

soupe aux légumes-racines grillés

Pour **6 personnes**, préparation **10 minutes**, cuisson **1 h 05**

Ingrédients

1 4 carottes coupées en morceaux

2 2 panais coupés en morceaux

3 1 poireau coupé en fines rondelles

4 2 c. à c. de thym

5 brins de thym pour décorer

Garde-manger
huile d'olive en spray, 1,2 litre de bouillon de légumes, sel et poivre

Disposez les carottes et les panais sur une plaque de cuisson, vaporisez légèrement d'huile d'olive. Salez et poivrez. Faites rôtir 1 heure dans un four préchauffé à 200 °C jusqu'à ce que les légumes soient très tendres.

20 minutes avant la fin de la cuisson des légumes, **mettez** le poireau dans une grande casserole avec le bouillon de légumes et 1 cuillerée à café de thym. Couvrez et faites cuire 20 minutes à feu doux.

Mixez les légumes-racines avec un robot de cuisine avec un peu de bouillon si nécessaire. Ajoutez-les dans la casserole de bouillon avec le poireau et assaisonnez selon votre goût. Ajoutez le reste de thym, mélangez et réchauffez 5 minutes à feu doux.

Versez dans des bols individuels et servez, décoré de brins de thym.

soupe de tomates au balsamique

Pour **6 personnes**, préparation **25 minutes**, cuisson **20 minutes**

Ingrédients

1 750 g de tomates

2 1 pomme de terre de 200 g, coupée en cubes

3 1 c. à s. de concentré de tomates

4 1 petit bouquet de basilic

Garde-manger
2 c. à s. d'huile d'olive, 1 oignon grossièrement haché, 2 gousses d'ail émincées (facultatif), 750 g de bouillon de légumes ou de poule, 1 c. à s. de sucre brun, 4 c. à c. de vinaigre balsamique, sel et poivre

Coupez les tomates en deux. Passez-les sous le gril avec un filet d'huile d'olive dans un plat tapissé de papier d'aluminium, côté coupé vers le bas. Laissez-les griller 4 à 5 minutes, le temps que la peau soit craquelée et brunie. Pendant ce temps, faites revenir l'oignon, la pomme de terre et l'ail 5 minutes dans le reste d'huile, en remuant.

Épluchez les tomates et coupez-les grossièrement, puis ajoutez-les à l'oignon et à la pomme de terre avec les sucs de cuisson, puis incorporez le bouillon, le concentré de tomates, le sucre et le vinaigre. Ajoutez la moitié du basilic, assaisonnez et portez à ébullition. Couvrez et laissez mijoter 15 minutes.

Moulinez la moitié de la soupe, par petites quantités, dans un blender. Reversez dans la casserole avec le reste de soupe et réchauffez le tout. Assaisonnez, puis servez dans des bols, garni du reste de feuilles de basilic, et servez avec des torsades au parmesan.

soupe d'été aux petits pois

Pour **4 personnes**, préparation **10 minutes**
cuisson **15 minutes** environ

Ingrédients

1 1 c. à s. de beurre

2 1,25 kg de petits pois frais, écossés,
ou 500 g surgelés

3 2 c. à s. de yaourt nature épais
ou de crème fraîche

4 noix de muscade

5 1 c. à s. de ciboulette ciselée
+ 2 ciboulettes entières pour décorer

Garde-manger 1 botte d'oignons verts hachés,
750 ml de bouillon de légumes

Faites fondre le beurre dans une grande
casserole et faites suer les oignons verts,
sans les laisser brunir. Ajoutez les petits pois
et le bouillon de légumes. Portez à ébullition
et laissez cuire 5 minutes environ pour des
petits pois surgelés, et 15 minutes s'ils sont
frais. Ne faites pas trop cuire les petits pois
frais car cela leur ferait perdre leur saveur.

Ôtez du feu et mixez. Ajoutez le yaourt
ou la crème fraîche et un peu de noix
de muscade râpée. Réchauffez doucement
si nécessaire et servez parsemé de ciboulette.

AJOUTEZ DES POIS ET DE LA MENTHE

Pour une soupe aux fèves et aux petits pois à la menthe, faites revenir les oignons verts dans le beurre comme dans la recette ci-contre, puis ajoutez 625 g de petits pois frais écossés et 625 g de fèves fraîches écossées (ou 250 g de chacun s'ils sont surgelés), 2 tiges de menthe fraîche et le bouillon de légumes. Laissez mijoter comme ci-dessus, puis mixez et réchauffez. Servez dans des bols avec 4 cuillerées à soupe de crème fraîche épaisse et quelques minuscules fragments de feuilles de menthe.

soupe aux haricots secs et tomates

Pour **4 personnes**, préparation **10 minutes**, cuisson **20 minutes**

Ingrédients

1 2 branches de céleri finement émincées

2 2 x 400 g de haricots secs en boîte, rincés et égouttés

3 4 c. à s. de purée de tomates séchées

4 1 c. à s. de thym ou de romarin

5 copeaux de parmesan pour servir

Garde-manger

3 c. à s. d'huile d'olive, 1 oignon finement haché, 2 gousses d'ail finement émincées, 900 ml de bouillon de légumes (page 190), sel et poivre

Faites chauffer l'huile dans une casserole, puis faites blondir l'oignon 3 minutes. Incorporez le céleri, l'ail, et faites-les revenir 2 minutes.

Ajoutez les haricots, la purée de tomates séchées, le bouillon de légumes, le thym ou le romarin, salez et poivrez. Portez à ébullition, couvrez et laissez frémir 15 minutes. Décorez de copeaux de parmesan avant de servir. Cette soupe peut constituer un repas léger avec du pain et du parmesan.

salade aux pommes de terre nouvelles

Pour **4 à 6 personnes**, préparation **5 minutes**
+ refroidissement, cuisson **15 minutes**

Ingrédients

1   1 kg de pommes de terre nouvelles
nettoyées

2   50 g de pignons de pin grillés

3   ½ bouquet de basilic

Garde-manger
4 c. à s. d'huile d'olive vierge extra, 1 ½ c. à s.
de vinaigre de vin blanc, sel et poivre noir

Mettez les pommes de terre dans une grande casserole d'eau légèrement salée et portez à ébullition. Laissez cuire 12 à 15 minutes jusqu'à ce qu'elles soient tendres. Égouttez bien et transférez dans un grand saladier. Coupez en deux les plus grosses pommes de terre.

Battez l'huile, le vinaigre et un peu de sel et de poivre dans un bol. Versez la moitié de ce mélange sur les pommes de terre, remuez bien et laissez refroidir complètement.

Ajoutez les pignons de pin, le reste de sauce et les feuilles de basilic, remuez bien et servez.

TRADITIONNELLE

Pour une version plus classique, faites cuire 1 kg de pommes de terre nouvelles comme dans la recette ci-contre, égouttez et laissez refroidir. Mélangez 150 ml de mayonnaise de bonne qualité avec 1 botte d'oignons de printemps finement hachés, 2 cuillerées à soupe de ciboulette hachée, un trait de jus de citron, du sel et du poivre. Versez sur les pommes de terre et remuez bien.

soupe au fenouil et au citron

Pour **4 personnes**, préparation **20 minutes**, cuisson **30 minutes**

Ingrédients

1 1 bulbe de fenouil de 250 g, finement émincé

2 1 pomme de terre coupée en dés

3 4 c. à s. de persil ciselé

4 16 olives noires dénoyautées et hachées

Garde-manger
6 c. à s. d'huile d'olive, 1 oignon haché, le zeste finement râpé et le jus de 1 citron, 900 ml de bouillon de légumes, sel et poivre, 1 petite gousse d'ail pilée, le zeste finement râpé de 1 citron

Faites chauffer l'huile d'olive dans une grande casserole, puis faites revenir l'oignon pendant 5 à 10 minutes. Ajoutez le fenouil, la pomme de terre, le zeste de citron, et faites cuire 5 minutes. Versez le bouillon de légumes et portez à ébullition. Couvrez, puis laissez frémir 15 minutes jusqu'à ce que les légumes soient tendres.

Pendant ce temps, **préparez** la gremolata. Mélangez l'ail, le zeste de citron, le persil et les olives. Couvrez et mettez au réfrigérateur.

Mixez la soupe et passez-la à travers un chinois pour éliminer les fibres du fenouil. Si elle est trop épaisse, allongez-la avec du bouillon. Remettez-la dans la casserole nettoyée. Salez et poivrez généreusement, arrosez de jus de citron. Versez dans des bols chauds et garnissez de gremolata. Servez éventuellement avec du pain grillé.

GREMOLATA ITALIENNE CLASSIQUE

Mélangez 1 gousse d'ail pilée, le zeste finement râpé de 1 citron, 4 cuillerées à soupe de persil ciselé et 2 cuillerées à café de thym citronné effeuillé. Mélangez 16 olives vertes dénoyautées et hachées. Garnissez-en la soupe préparée selon les indications de la recette ci-contre et arrosez d'huile d'olive au citron avant de servir.

soupe de poivrons rouges

Pour **4 personnes**, préparation **15 minutes**, cuisson **35 minutes**

Ingrédients

1 3 poivrons rouges, épépinés et hachés grossièrement

2 2 courgettes coupées en fines rondelles

3 yaourt ou crème fraîche épaisse

4 ciboulette ciselée

Garde-manger
2 oignons finement hachés, 2 c. à s. d'huile d'olive, 1 gousse d'ail pilée, 900 ml de bouillon de légumes ou d'eau, sel et poivre

Faites dorer les oignons 5 minutes avec l'huile d'olive dans une grande casserole. Ajoutez l'ail et faites-le revenir 1 minute.

Incorporez les poivrons et la moitié des courgettes, faites-les rissoler 5 à 8 minutes.

Versez le bouillon ou l'eau, salez et poivrez. Portez à ébullition, couvrez et laissez frémir 20 minutes.

Lorsque les légumes sont tendres, **mixez** la préparation en plusieurs fois pour obtenir une soupe veloutée. Transvasez dans la casserole. Salez, poivrez et réchauffez. Garnissez avec le reste de courgettes, du yaourt ou de la crème fraîche et de la ciboulette avant de servir. Cette soupe colorée se déguste aussi bien chaude que froide.

salade de tortellinis aux poivrons et aux champignons

Pour **4 personnes**, préparation **5-10 minutes**, cuisson **5 minutes**

Ingrédients

1 600 g de tortellinis frais aux épinards et à la ricotta

2 275 g de poivrons grillés à l'huile d'olive coupés en tranches

3 275 g d'un mélange de champignons à l'huile d'olive égouttés

4 200 g de tomates séchées à l'huile d'olive égouttées

5 50 g de roquette + 25 g de basilic

Garde-manger sel et poivre noir

Portez une grande casserole d'eau légèrement salée à ébullition. Faites cuire les tortellinis en suivant les instructions de l'emballage. Égouttez-les et mettez-les dans un saladier.

Ajoutez les poivrons avec leur huile, ainsi que les champignons et les tomates séchées. Ajoutez le basilic et la roquette. Poivrez. Mélangez et servez chaud.

caldo verde

Pour **4 personnes**, préparation **15 minutes**,
cuisson **35 minutes**

Ingrédients

1 125 g de chou frisé

2 625 g de pommes de terre farineuses
coupées en petits morceaux

3 400 g de haricots blancs en boîte,
égouttés

4 15 g de coriandre ciselée

Garde-manger
4 c. à s. d'huile d'olive, 1 gros oignon haché,
2 gousses d'ail pilées, 1 litre de bouillon de légumes,
sel et poivre

Taillez la base des côtes du chou, puis
enroulez les feuilles en serrant. À l'aide
d'un grand couteau, détaillez-les en lanières
aussi finement que possible.

Faites chauffer l'huile d'olive dans une
grande poêle, puis faites revenir l'oignon
5 minutes. Ajoutez les pommes de terre
et faites-les sauter 10 minutes. Ajoutez
l'ail et remuez le tout pendant 1 minute.

Versez le bouillon et portez à ébullition.
Laissez frémir 10 minutes jusqu'à ce que
les pommes de terre soient tendres. Écrasez-
les grossièrement dans la soupe à l'aide d'un
presse-purée.

Incorporez les haricots, les lanières de
chou, la coriandre, puis poursuivez la cuisson
10 minutes. Salez et poivrez avant de servir.

COLCANNON (PLAT IRLANDAIS)

Faites bouillir 500 g de pommes de terre non pelées. Égouttez-les. En même temps, faites bouillir 500 g de chou vert en fines lanières pendant 10 minutes. Égouttez, puis ajoutez 6 oignons blancs finement hachés. Pelez les pommes de terre, puis écrasez-les avec 150 ml de lait dans un saladier, ensuite incorporez le chou et les oignons. Salez, poivrez, puis ajoutez 50 g de beurre.

soupe de petits pois, pommes de terre et roquette

Pour **4 à 6 personnes**, préparation **15 minutes**, cuisson **35 minutes**

Ingrédients

1 2 c. à c. de thym haché

2 250 g de pommes de terre hachées

3 500 g de petits pois frais ou surgelés

4 100 g de roquette grossièrement hachée

Garde-manger

3 c. à s. d'huile d'olive vierge extra + un peu pour servir, 1 oignon finement haché, 2 gousses d'ail finement hachées, 1 litre de bouillon de légumes, le jus de 1 citron, sel et poivre noir

Faites chauffer l'huile dans une casserole, ajoutez l'oignon, l'ail et le thym et laissez cuire 5 minutes à feu doux en remuant régulièrement jusqu'à ce que l'oignon soit ramolli. Ajoutez les pommes de terre et faites revenir pendant 5 minutes.

Incorporez les petits pois, le bouillon, le sel et le poivre. Portez à ébullition, puis réduisez le feu, couvrez et laissez mijoter doucement pendant 20 minutes.

Transférez la soupe dans un blender ou un mixeur, ajoutez la roquette et le jus de citron et mixez jusqu'à obtention d'une texture lisse. Remettez dans la casserole, corrigez l'assaisonnement et réchauffez. Servez immédiatement, arrosé d'un filet d'huile d'olive.

AVEC DES ASPERGES

Pour une soupe d'été aux petits pois et aux asperges, remplacez les pommes de terre par 250 g d'asperges. Prélevez les pointes et faites-les cuire dans le bouillon 3 à 5 minutes jusqu'à ce qu'elles soient tendres. Égouttez et réservez, en gardant le bouillon. Émincez le reste des asperges et ajoutez-les dans la soupe avec les petits pois. Servez décoré avec les pointes d'asperges.

soupe butternut-romarin

Pour **6 personnes**, préparation **15 minutes**, cuisson **1 h 15**

Ingrédients

1   1 courge butternut

1   quelques brins de romarin + quelques-uns pour décorer

3   150 g de lentilles corail lavées

Garde-manger
2 c. à s. d'huile d'olive, 1 oignon émincé, 900 ml de bouillon de légumes, sel et poivre

Coupez la courge en deux et retirez les graines et la peau fibreuse à l'aide d'une cuillère. Disposez la courge épluchée et coupée en petits morceaux dans un plat à four. Arrosez d'huile d'olive, parsemez de romarin, salez et poivrez généreusement. Faites rôtir 45 minutes dans un four préchauffé à 200 °C.

Pendant ce temps, **versez** les lentilles dans une casserole, couvrez-les d'eau, portez à ébullition et laissez bouillir à feu vif 10 minutes. Égouttez les lentilles, puis remettez-les dans une casserole propre avec l'oignon et le bouillon puis laissez mijoter 5 minutes. Salez et poivrez.

Retirez la courge du four, écrasez la chair à la fourchette et ajoutez-la à la soupe. Laissez mijoter 25 minutes, puis servez dans des bols avec du romarin.

salade de betteraves et d'oranges

Pour **2 à 4 personnes**, préparation **15 minutes**, cuisson **30 minutes**

Ingrédients

1   7 petites betteraves crues

2   2 oranges

3   1 c. à c. de moutarde à l'ancienne

4   65 g de cresson

5   75 g de fromage de chèvre frais

Garde-manger
1 c. à c. de graines de cumin, 1 c. à s. de vinaigre de vin, poivre noir du moulin, 1 c. à s. de miel liquide, 1 ½ c. à s. de vinaigre de vin, 3 c. à s. d'huile d'olive, sel et poivre

Lavez les betteraves. Mettez-les dans un plat à four recouvert de papier d'aluminium avec les graines de cumin et le vinaigre, et faites cuire 30 minutes environ au four préchauffé à 190 °C. Laissez-les refroidir légèrement. Pelez les betteraves. Coupez-les en deux ou en quatre.

Pendant ce temps, **pelez** les oranges à vif et détachez-en les segments. Préparez la vinaigrette en mélangeant le miel, la moutarde, le vinaigre et l'huile. Salez et poivrez.

Mettez le cresson et les betteraves dans un saladier et versez la vinaigrette. Mélangez délicatement. Dressez les segments d'orange sur un plat, recouvrez de salade et parsemez de fromage de chèvre grossièrement émietté. Ajoutez du poivre du moulin et servez.

soupe épicée aux pommes et pommes de terre

Pour **4 personnes**, préparation **15 minutes**, cuisson **30 minutes**

Ingrédients

1   65 g de beurre

2   2 pommes à couteau coupées en tranches + pour la garniture

3   1 pincée de piment de Cayenne (plus ou moins selon votre goût) + un peu pour saupoudrer

4   300 g de pommes de terre farineuses coupées en rondelles

5   300 ml de lait chaud

Garde-manger
1 petit oignon haché, 600 ml de bouillon de légumes, sel

Faites fondre 50 g de beurre à feu moyen dans une grande casserole à fond épais. Ajoutez l'oignon et laissez cuire 5 minutes environ jusqu'à ce qu'il soit ramolli. Ajoutez les pommes coupées en tranches et le piment et laissez cuire encore 2 minutes en remuant.

Versez le bouillon, puis ajoutez les pommes de terre. Portez à ébullition, puis réduisez le feu et laissez mijoter doucement 15 à 18 minutes jusqu'à ce que les pommes et les pommes de terre soient très tendres.

Mixez la soupe en plusieurs fois dans un blender ou un mixeur jusqu'à obtention d'une texture très lisse, puis transférez dans une casserole propre. Réchauffez doucement et incorporez le lait chaud. Goûtez et corrigez l'assaisonnement si nécessaire.

Pendant ce temps, **préparez** la garniture aux pommes. Faites fondre le reste de beurre dans une petite poêle, ajoutez la pomme coupée en dés et faites dorer à feu vif.

Répartissez la soupe dans des bols tièdes, garnissez chaque portion de pommes en dés et saupoudrez d'une pincée de piment avant de servir.

salade de potiron et de feta

Pour **4 personnes**, préparation **20 minutes**, cuisson **25 minutes** environ

Ingrédients

1 500 g de potiron

2 2 branches de thym grossièrement haché

3 200 g d'un mélange de jeunes pousses de salade

4 50 g de feta

5 2 c. à s. de pignons de pin

Garde-manger
huile d'olive, sel et poivre, 1 c. à c. de moutarde de Dijon, 2 c. à s. de vinaigre balsamique, 4 c. à s. d'huile d'olive

Pelez et **retirez** les graines du potiron, coupez la chair en cubes de 2 cm et mettez-les dans un plat à four. Arrosez d'huile d'olive, parsemez de thym, salez et poivrez. Faites cuire 25 minutes au four préchauffé à 190 °C. Sortez du four et laissez refroidir légèrement.

Pendant ce temps, **préparez** la vinaigrette en mélangeant la moutarde, le vinaigre et l'huile.

Mettez les jeunes pousses de salade dans un saladier, ajoutez le potiron cuit et émiettez la feta. Versez la vinaigrette et remuez délicatement. Dressez sur les assiettes, parsemez de pignons de pin et servez aussitôt.

crème de poireau et petits pois

Pour **6 personnes**, préparation **15 minutes**, cuisson **20 minutes**

Ingrédients

1 375 g de poireaux bien nettoyés et coupés en rondelles

2 375 g de petits pois fraîchement écossés ou surgelés

3 1 petit bouquet de menthe + quelques feuilles de menthe (facultatif)

4 150 g de mascarpone

Garde-manger
2 c. à s. d'huile d'olive, 900 ml de bouillon de légumes ou de poule (pages 13 et 10), le zeste râpé de 1 petit citron, sel et poivre, lanières de zeste de citron (facultatif)

Faites chauffer l'huile d'olive dans une casserole, ajoutez les poireaux et remuez pour les mélanger avec l'huile. Faites revenir 10 minutes à feu doux, en tournant de temps en temps, jusqu'à ce qu'ils soient tendres mais pas dorés. Incorporez les petits pois et faites cuire rapidement.

Versez le bouillon dans la casserole, salez et poivrez légèrement puis portez à ébullition. Couvrez et laissez mijoter 10 minutes à feu doux.

Versez la moitié de la soupe dans un blender, ajoutez la menthe et moulinez. Remettez la soupe mixée dans la casserole. Mélangez le mascarpone avec la moitié du zeste de citron et réservez le reste pour la garniture. Versez la moitié de la préparation dans la soupe et faites chauffer en remuant. Goûtez et assaisonnez si besoin. Versez la soupe dans des bols avec le mascarpone restant et décorez avec le reste de zeste de citron. Garnissez de petites feuilles de menthe et de lanières de zeste de citron enroulées.

AJOUTEZ DU CRESSON

Pour une soupe aux poireaux, petits pois et cresson, utilisez 175 g de petits pois et ajoutez 1 bouquet de cresson grossièrement haché. Faites cuire dans 600 ml de bouillon puis, au lieu d'ajouter le mascarpone, incorporez 150 ml de lait et 150 ml de crème fraîche épaisse. Ajoutez un peu de crème à la fin avec de fines tranches de lard grillées et croustillantes.

salade de pâtes orzo aux petits pois

Pour **4 personnes**, préparation **15 minutes**
+ repos, cuisson **12 minutes**

Ingrédients

1 250 g de pâtes orzo ou malloreddus

2 250 g de petits pois décongelés

3 6 ciboules grossièrement hachées

4 8 cœurs d'artichauts marinés finement tranchés

5 4 c. à s. de menthe hachée

Garde-manger
6 c. à s. d'huile d'olive, 2 gousses d'ail écrasées, le jus de ½ citron, sel et poivre, zeste râpé de citron pour décorer

Faites cuire les pâtes 6 minutes dans de l'eau bouillante ou en suivant les instructions figurant sur l'emballage. Ajoutez les petits pois et faites cuire 2 à 3 minutes jusqu'à ce que les pâtes et les petits pois soient cuits. Égouttez.

Pendant ce temps, **faites chauffer** 2 cuillères à soupe d'huile dans une poêle et faites sauter la ciboule et l'ail 1 à 2 minutes.

Mélangez les pâtes et les petits pois avec la ciboule, l'ail, les cœurs d'artichauts marinés, la menthe et le reste d'huile. Salez et poivrez. Laissez reposer 10 minutes. Incorporez le jus de citron. Servez la salade chaude avec le zeste de citron râpé.

velouté de carotte, huile à la menthe

Pour **6 personnes**, préparation **20 minutes**,
cuisson **1 heure à 1 h 15**

Ingrédients

1 750 g de carottes coupées en dés

2 40 g de riz long grain

3 300 ml de lait

4 15 g de menthe fraîche

Garde-manger

2 c. à s. d'huile d'olive, 1 oignon haché
grossièrement, 1 litre de bouillon de légumes ou
de poule (pages 13 et 10), ¼ de c. à c. de sucre
semoule, 3 c. à s. d'huile d'olive, sel et poivre

Faites chauffer l'huile d'olive dans
une casserole, puis faites revenir l'oignon
5 minutes. Ajoutez les carottes et faites revenir
5 minutes. Incorporez le riz et le bouillon.
Salez et poivrez légèrement. Portez à ébullition,
puis couvrez et laissez mijoter 45 minutes,
en remuant de temps en temps.

Pendant ce temps, **préparez** l'huile à la
menthe. Mettez les feuilles de menthe dans
un robot de cuisine avec le sucre et un peu
de poivre. Hachez finement puis incorporez
l'huile d'olive progressivement tout en mixant.
Transférez dans un petit bol puis mélangez
avant de vous en servir.

Rincez le robot de cuisine, puis mixez
la soupe en plusieurs fois. Remettez-la dans
la casserole et incorporez le lait. Réchauffez,
goûtez et rectifiez l'assaisonnement. Versez
dans des bols puis agrémentez d'un filet
d'huile à la menthe et de quelques feuilles
de menthe. Accompagnez de muffins
à la courgette.

MUFFINS SALÉS

Pour des muffins à la courgette à servir en accompagnement, mettez 300 g de farine à levure incorporée dans un bol avec 3 cuillerées à café de levure chimique, 75 g de parmesan râpé, 200 g de courgette râpée grossièrement, 150 ml de yaourt nature à 0 %, 3 cuillerées à soupe d'huile d'olive, 3 œufs et 3 cuillerées à soupe de lait. Mélangez à la fourchette, puis répartissez dans un moule à muffins à 12 alvéoles doublées de caissettes en papier. Enfournez dans un four préchauffé à 200 °C pour 18 à 20 minutes jusqu'à ce que les muffins soient gonflés et bien dorés. Servez chaud.

salade tomates confites et mozzarella

Pour **4 personnes**, préparation **10 minutes**
+ refroidissement, cuisson **20 minutes**

Ingrédients

1 250 g de tomates cerises rondes
ou allongées coupées en deux

2 25 g de roquette

3 12 feuilles de basilic

4 150 g de mozzarella en billes égouttée

5 25 g de pignons de pin grillés

Garde-manger

1 c. à s. d'huile d'olive, 4 c. à s. d'huile d'olive vierge
extra, 1 c. à c. de vinaigre de vin rouge, sel et poivre
noir

Placez les tomates, chair vers le haut, dans un petit plat à rôtir. Versez en filet 1 cuillerée à soupe d'huile d'olive, salez et poivrez légèrement. Faites cuire au four préchauffé à 200 °C pendant 20 minutes, jusqu'à ce que les tomates soient flétries et ramollies. Sortez du four et laissez refroidir.

Préparez la sauce. Mettez les feuilles de roquette et de basilic, 2 cuillerées à soupe d'huile d'olive vierge extra et le vinaigre dans un bol. Réduisez en purée à l'aide d'un pied mixeur ou transférez dans un mini-hachoir pour mixer. Incorporez le reste d'huile et assaisonnez à votre convenance.

Disposez les tomates confites sur un plat, puis coupez en deux les billes de mozzarella et répartissez-les sur les tomates.

Versez la sauce en filet et parsemez les pignons de pin. Servez immédiatement.

AVEC UNE AUTRE SAUCE
Pour une sauce au basilic à servir en
accompagnement de cette salade, remplacez la
roquette et le basilic par 20 g de feuilles de basilic
et suivez les instructions ci-contre. Servez la salade
garnie d'une poignée de roquette.

soupe aux pois chiches et au persil

Pour **6 personnes**, préparation **15 minutes**
+ trempage, cuisson **30 minutes**

Ingrédients

1 30 g de persil

2 410 g de pois chiches en boîte, rincés
et égouttés

Garde-manger

1 petit oignon, 3 gousses d'ail, 2 c. à s. d'huile
d'olive, 1,2 litre de bouillon de légumes, le jus
et le zeste râpé de ½ citron, sel et poivre

Mixez finement l'oignon, l'ail et le persil
dans un robot.

Faites chauffer l'huile dans une casserole
et faites-y revenir le mélange oignon-ail-persil
quelques instants à feu doux. Ajoutez les pois
chiches et poursuivez la cuisson 1 à 2 minutes,
toujours à feu doux.

Ajoutez le bouillon, salez, poivrez et portez
à ébullition. Couvrez et faites cuire 20 minutes
jusqu'à ce que les pois chiches soient bien
cuits.

Laissez la soupe refroidir un peu puis mixez-la
brièvement dans un robot, ou écrasez-la
à la fourchette.

Versez la soupe dans une casserole, ajoutez
le jus de citron et rectifiez l'assaisonnement
si nécessaire. Réchauffez à feu doux. Servez
la soupe parsemée de zeste de citron râpé
et de poivre noir concassé.

VARIANTE AUX HARICOTS
Pour une variante aux haricots blancs, remplacez
les pois chiches par 410 g de haricots blancs en
boîte. Le persil peut être remplacé par de l'estragon
ou de la menthe.

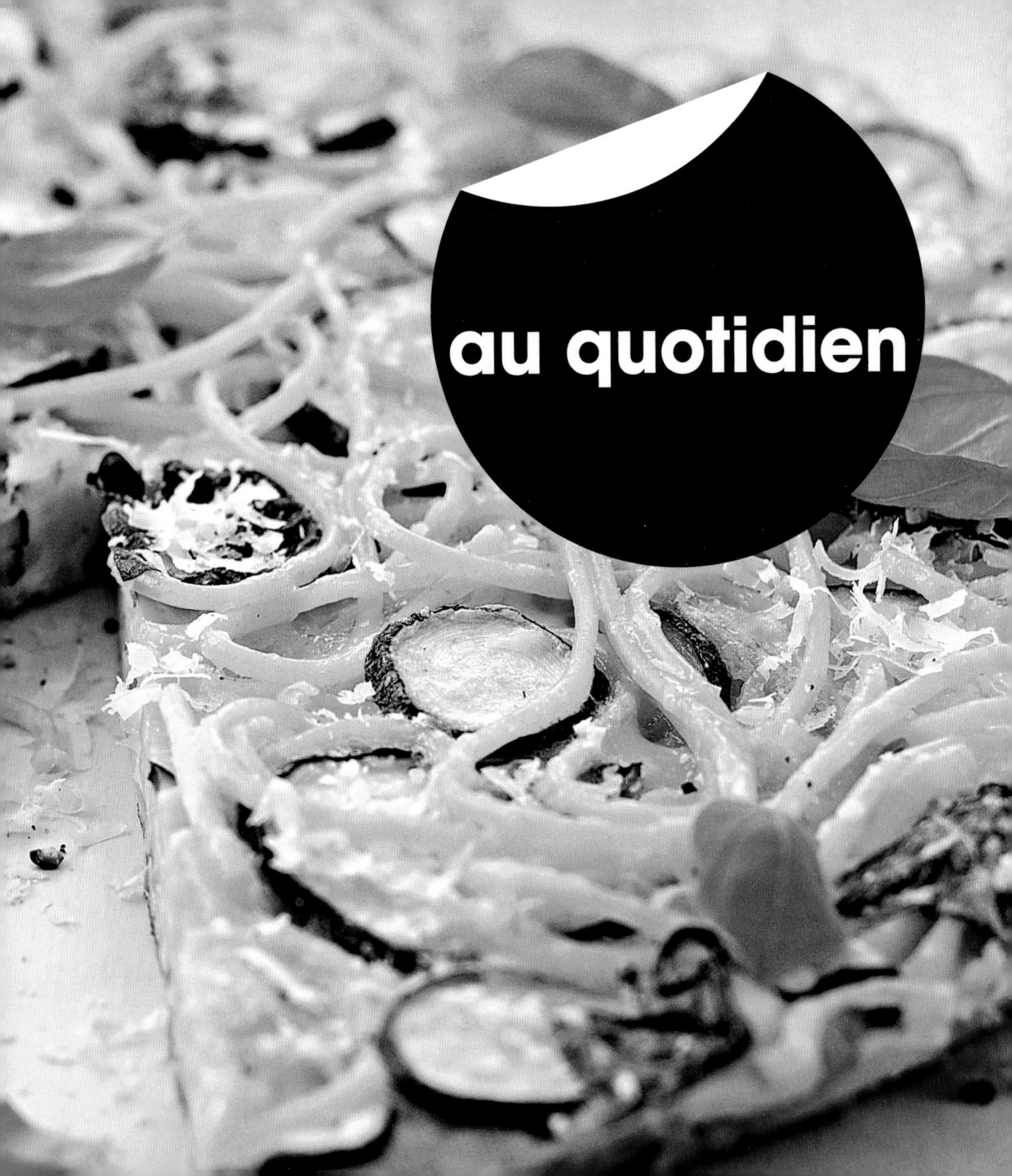
au quotidien

tarte aux tomates et à la feta

Pour **4 personnes**, préparation **15 minutes**, cuisson **20 minutes**

Ingrédients

1   350 g de pâte feuilletée, décongelée si surgelée

2   3 c. à s. de pesto

3   250 g de tomates cerises allongées coupées en deux

4   100 g de feta émiettée

5   1 poignée de feuilles de basilic

Garde-manger
farine ordinaire, sel et poivre noir

Abaissez la pâte sur un plan de travail légèrement fariné pour former un rectangle de 25 × 35 cm. À l'aide d'un couteau aiguisé, marquez une bordure de 2,5 cm tout autour. Transférez sur une plaque de cuisson et étalez le pesto sur la pâte.

Disposez les tomates et la feta dessus. Salez et poivrez. Faites cuire au four préchauffé à 220 °C pendant 20 minutes jusqu'à ce que la pâte soit gonflée et dorée. Sortez du four et parsemez les feuilles de basilic.

frittata de spaghettis aux courgettes

Pour **4 personnes**, préparation **10 minutes**, cuisson **25 minutes**

Ingrédients

1 2 courgettes coupées en fines rondelles

2 4 œufs

3 125 g de spaghettis cuits

4 4 c. à s. de parmesan fraîchement râpé

5 10 feuilles de basilic déchirées

Garde-manger
2 c. à s. d'huile d'olive, 1 oignon finement émincé, 1 gousse d'ail écrasée, sel et poivre noir

Faites chauffer l'huile d'olive à feu doux dans une poêle à fond épais de 23 cm de diamètre antiadhésive et passant au four. Faites revenir l'oignon, en remuant de temps en temps, pendant 6 à 8 minutes jusqu'à ce que les oignons soient tendres. Ajoutez les courgettes et l'ail et poursuivez la cuisson 2 minutes en remuant.

Battez les œufs dans un saladier, salez et poivrez. Ajoutez les légumes, les spaghettis et la moitié du parmesan et du basilic. Versez le mélange dans la poêle et répartissez rapidement les ingrédients de façon homogène. Faites cuire à feu doux 8 à 10 minutes, jusqu'à ce que toute la frittata soit prise, sauf la surface.

Dans un four très chaud, **placez** la frittata sous le gril, à 10 cm. Laissez cuire jusqu'à ce que la surface soit prise, mais pas colorée.

Secouez la poêle pour détacher la frittata et faites-la glisser sur une assiette. Parsemez de parmesan et des feuilles de basilic, et laissez refroidir 5 minutes avant de servir.

œufs brouillés au pesto

Pour **4 personnes**, préparation **5 minutes**, cuisson **5 minutes**

Ingrédients

1   12 œufs

2   100 ml de crème liquide

3   25 g de beurre

4   4 tranches de pain aux céréales grillées

5   4 c. à s. de pesto

Garde-manger
sel et poivre noir

Battez les œufs, la crème et un peu de sel et de poivre dans un saladier. Faites fondre le beurre dans une grande poêle antiadhésive, ajoutez les œufs battus et laissez cuire à feu doux en remuant avec une cuillère en bois jusqu'à obtention de la cuisson souhaitée.

Placez une tranche de pain grillé sur chaque assiette. Étalez un quart des œufs brouillés sur chaque tranche, en formant un petit creux au centre, et ajoutez une cuillerée à soupe de pesto. Servez immédiatement.

VARIANTE AU FROMAGE
Pour des œufs brouillés au fromage, incorporez
125 g de fromage de chèvre doux coupé en dés et
2 cuillerées à soupe de persil haché dans les œufs
cuits juste avant de servir et ne mettez pas de pesto.

aubergines-mozzarella au four

Pour **4 personnes**, préparation **10 minutes**, cuisson **25 minutes**

Ingrédients

1 2 aubergines coupées en deux dans la longueur

2 250 g de tomates concassées en boîte

3 1 c. à s. de concentré de tomates

4 300 g de mozzarella coupée en tranches fines

5 basilic pour décorer

Garde-manger
3 c. à s. d'huile d'olive, 1 oignon haché, 1 gousse d'ail écrasée, sel et poivre

Badigeonnez les aubergines avec 2 cuillerées à soupe d'huile d'olive et disposez-les sur une plaque de cuisson, côté coupé vers le haut. Faites rôtir 20 minutes dans un four préchauffé à 200 °C.

Pendant ce temps, **faites chauffer** le reste d'huile d'olive dans une poêle et faites-y fondre l'oignon et l'ail. Quand l'oignon commence à se colorer, ajoutez les tomates concassées et le concentré de tomates, et laissez mijoter 5 minutes jusqu'à épaississement.

Sortez les aubergines du four. Nappez-les de sauce et de tranches de mozzarella. Salez et poivrez selon votre goût puis remettez les aubergines dans le four pendant 4 à 5 minutes jusqu'à ce que le fromage ait fondu. Parsemez de basilic et servez aussitôt.

tortilla asperges et pommes de terre nouvelles

Pour **4 personnes**, préparation **15 minutes**, cuisson **40 minutes**

Ingrédients

1 350 g d'asperges

2 400 g de pommes de terre nouvelles

3 6 œufs

4 5 g de feuilles de basilic déchiquetées

Garde-manger
100 ml d'huile d'olive, 1 oignon haché, sel et poivre noir

Ôtez les bouts ligneux des asperges et coupez celles-ci en tronçons de 5 cm de long. Coupez les pommes de terre en rondelles très fines. Faites chauffer 50 ml d'huile d'olive dans une poêle à fond épais d'environ 25 cm de diamètre. Ajoutez les asperges et faites-les revenir pendant 5 minutes à feu doux, jusqu'à ce qu'elles soient légèrement ramollies. Transférez-les sur une assiette à l'aide d'une écumoire. Versez le reste d'huile dans la poêle et ajoutez les pommes de terre et l'oignon. Laissez cuire à feu très doux pendant environ 15 minutes, en retournant régulièrement les pommes de terre, jusqu'à ce qu'elles soient tendres.

Battez les œufs avec le sel et le poivre dans un saladier et incorporez le basilic. Remettez les asperges dans la poêle, mélangez les légumes et étalez-les en les répartissant assez uniformément. Versez les œufs battus sur les légumes et réduisez le feu au minimum. Couvrez avec un couvercle ou du papier d'aluminium et laissez cuire 10 minutes environ, jusqu'à ce que l'œuf soit pris mais encore un peu liquide au centre.

Dégagez les bords de la tortilla, placez une assiette sur la poêle et retournez la tortilla. Faites-la glisser dans la poêle et remettez à cuire 2 à 3 minutes, jusqu'à ce que le fond soit ferme. Faites glisser la tortilla sur une assiette propre et servez la chaude ou froide, coupée en parts et éventuellement accompagnée de sauce hollandaise (voir ci-contre).

SAUCE HOLLANDAISE

Pour préparer une sauce hollandaise, mettez 1 cuillerée à soupe de vinaigre de vin blanc dans un mixeur avec 2 jaunes d'œufs. Mixez légèrement pour mélanger. Coupez 150 g de beurre en morceaux et faites fondre doucement dans une petite casserole. Versez dans une carafe. Tout en mixant, versez très lentement le beurre fondu jusqu'à obtention d'une texture dense et lisse. Salez et poivrez à votre convenance et ajoutez un trait d'eau chaude si la sauce est trop épaisse. Étalez sur la tortilla si vous le souhaitez.

salade aux fèves et à la feta aux herbes

Pour **2 personnes**, préparation **15 minutes**, cuisson **10 à 12 minutes**

Ingrédients

1 200 g de penne ou autres pâtes sèches

2 200 g de fèves écossées, fraîches ou surgelées

3 50 g de tomates séchées à l'huile, égouttées et hachées grossièrement

4 1 poignée d'herbes aromatiques (persil, estragon, cerfeuil et ciboulette…) grossièrement hachées

5 50 g de feta émiettée ou grossièrement coupée

Garde-manger
sel et poivre noir, 2 c. à s. d'huile d'olive vierge extra, 1 c. à s. de vinaigre de xérès, ½ c. à c. de moutarde en grains

Faites cuire les pâtes dans une grande casserole d'eau bouillante salée en suivant les instructions de l'emballage jusqu'à ce qu'elles soient al dente. Égouttez, passez sous l'eau froide, puis égouttez à nouveau.

Pendant ce temps, **faites cuire** les fèves dans une autre casserole d'eau bouillante légèrement salée 4 à 5 minutes jusqu'à ce qu'elles soient tendres. Égouttez et plongez-les dans de l'eau glacée pour les refroidir. Retirez la peau.

Fouettez les ingrédients de la vinaigrette dans un petit saladier, salez et poivrez.

Placez les fèves dans un plat de service et versez-y les pâtes, les tomates et les herbes. Ajoutez la vinaigrette et mélangez. Poivrez et parsemez de feta. Servez immédiatement.

poivrons grillés farcis aux tomates

Pour **2 personnes**, préparation **10 minutes**, cuisson **55 à 60 minutes**

Ingrédients

1   4 gros poivrons rouges

2   1 c. à s. de thym haché + quelques brins pour décorer

3   4 tomates olivettes coupées en deux

Garde-manger
2 gousses d'ail écrasées, 4 c. à s. d'huile d'olive vierge extra, 2 c. à s. de vinaigre balsamique, sel et poivre noir

Coupez les poivrons rouges en deux dans le sens de la longueur, puis ôtez le cœur et les pépins à la cuillère. Placez les demi-poivrons, chair vers le haut, dans un plat à rôtir tapissé de papier d'aluminium ou dans un plat en céramique. Répartissez l'ail et le thym dessus, salez et poivrez.

Mettez une demi-tomate dans chaque demi-poivron et versez l'huile et le vinaigre en filet. Faites cuire au four préchauffé à 220 °C pendant 55 à 60 minutes, jusqu'à ce que les poivrons soient tendres et grillés.

frittata à la patate douce et au fromage de chèvre

Pour **4 personnes**, préparation **10 minutes**, cuisson **20 minutes**

Ingrédients

1 500 g de patates douces coupées en tranches

2 5 petits oignons blancs émincés

3 2 c. à s. de coriandre ciselée

4 4 gros œufs battus

5 100 g de fromage de chèvre coupé en 4 tranches

Garde-manger
1 c. à c. d'huile d'olive, poivre

Faites cuire les tranches de patates douces 7 à 8 minutes dans de l'eau bouillante, puis égouttez-les.

Faites chauffer l'huile d'olive dans une poêle antiadhésive et faites-y revenir les petits oignons blancs et les tranches de patates douces pendant 2 minutes.

Mélangez les œufs battus avec la coriandre. Poivrez généreusement et versez dans la poêle. Disposez les tranches de chèvre dessus et poursuivez la cuisson 3 à 4 minutes.

Finissez la cuisson au four : faites dorer la frittata 2 à 3 minutes sous le gril d'un four préchauffé. Servez aussitôt.

CHANGEZ LA GARNITURE
Pour une version au butternut et à la feta, remplacez
les patates douces par 500 g de butternut coupé
en dés, et le fromage de chèvre par de la feta.

crumble à la betterave et au chèvre

Pour **4 personnes**, préparation **25 minutes**, cuisson **1 h 30**

Ingrédients

1 1 kg de betteraves crues

2 ½ c. à c. de graines de carvi

3 1 c. à s. de thym citron haché + quelques brins pour décorer

4 40 g de beurre coupé en petits morceaux

5 200 g de chèvre doux coupé en tranches fines

Garde-manger
500 g de petits oignons coupés en quatre, 4 c. à s. d'huile d'olive, 75 g de farine ordinaire, sel et poivre noir

Nettoyez les betteraves à la brosse et coupez-les en fins morceaux. Mettez-les dans un plat peu profond avec les oignons et versez l'huile d'olive en filet. Parsemez les graines de carvi, salez légèrement et poivrez abondamment. Faites cuire dans le four préchauffé à 200 °C pendant 1 heure environ, jusqu'à ce que les légumes soient grillés et tendres, en remuant une fois ou deux en cours de cuisson.

Pendant ce temps, **mettez** la farine et le thym citron dans un saladier, ajoutez le beurre et travaillez du bout des doigts jusqu'à obtention d'une texture sableuse.

Répartissez le chèvre sur les légumes et parsemez la pâte sableuse. Remettez au four pendant 25 à 30 minutes, jusqu'à ce que la surface soit légèrement dorée. Parsemez le crumble de brins de thym et servez immédiatement.

courgettes fondantes aux noix

Pour **4 personnes**, préparation **10 minutes**,
cuisson **10 à 15 minutes**

Ingrédients

1 4 courgettes coupées en petits bâtonnets

2 2 branches de céleri coupées en bâtonnets

3 250 g de fromage frais parfumé à l'ail

4 100 g de noix concassées

Garde-manger
3 c. à s. d'huile d'olive, 1 oignon haché, sel et poivre

Faites chauffer l'huile d'olive dans une grande poêle à frire puis faites-y fondre l'oignon pendant 5 minutes. Ajoutez les courgettes et le céleri puis poursuivez la cuisson 4 à 5 minutes jusqu'à ce que les légumes soient fondants et qu'ils commencent à dorer.

Ajoutez le fromage frais et poursuivez la cuisson 2 à 3 minutes jusqu'à ce qu'il soit fondu. Ajoutez les noix, salez et poivrez. Servez aussitôt.

champignons Stroganoff

Pour **4 personnes**, préparation **10 minutes**, cuisson **10 minutes**

Ingrédients

1 1 c. à s. de beurre

2 500 g de champignons de Paris coupés en lamelles

3 2 c. à s. de moutarde à l'ancienne

4 250 ml de crème fraîche

5 3 c. à s. de persil ciselé pour décorer

Garde-manger

2 c. à s. d'huile d'olive, 1 oignon émincé, 4 gousses d'ail hachées finement, sel et poivre

Faites chauffer le beurre et l'huile d'olive dans une grande poêle puis faites-y fondre l'oignon et l'ail. Ajoutez les champignons et poursuivez la cuisson.

Quand les champignons commencent à dorer, **ajoutez** la moutarde et la crème fraîche. Quand le mélange est chaud, salez et poivrez. Parsemez de persil ciselé et servez aussitôt.

frittata au maïs et au poivron

Pour **4 personnes**, préparation **10 minutes**, cuisson **10 minutes**

Ingrédients

1 4 ciboules émincées

2 200 g de maïs doux en conserve, égoutté

3 150 g de poivrons rouges grillés et marinés dans l'huile d'olive en bocal, égouttés et coupés en lanières

4 4 œufs légèrement battus

5 125 g de cheddar ou de gruyère râpé

Garde-manger

2 c. à s. d'huile d'olive, 1 petite poignée de ciboulette ciselée, sel et poivre

Faites chauffer l'huile d'olive dans une poêle allant au four, puis faites-y revenir les ciboules, le maïs et les lanières de poivrons pendant 30 secondes.

Ajoutez les œufs, le fromage, la ciboulette, du sel et du poivre puis faites cuire 4 à 5 minutes à feu moyen jusqu'à ce que le dessous ait pris.

Retirez la poêle du feu et glissez-la 3 à 4 minutes sous le gril du four préchauffé jusqu'à ce que le dessus de la frittata soit doré. Coupez la frittata en morceaux et servez aussitôt avec une salade verte et du pain croustillant.

rigatonis aux courgettes et à la feta

Pour **4 personnes**, préparation **15 minutes**, cuisson **10 à 12 minutes**

Ingrédients

1 375 g de rigatonis secs

2 3 courgettes coupées en tranches de 1 cm

3 2 branches de thym citronné

4 200 g de feta en dés

5 12 olives vertes dénoyautées et grossièrement hachées

Garde-manger

6 c. à s. d'huile d'olive, ½ citron dont vous presserez le jus, sel et poivre noir

Faites cuire les pâtes dans une grande casserole d'eau bouillante salée en suivant les instructions de l'emballage jusqu'à ce qu'elles soient al dente. Égouttez soigneusement.

Pendant ce temps, **placez** les courgettes dans un saladier et arrosez-les de 1 cuillérée à soupe d'huile d'olive. Faites chauffer une poêle-gril à feu vif jusqu'à ce qu'elle fume. Posez-y les tranches de courgettes et faites griller 2 à 3 minutes sur chaque face.

Replacez les tranches de courgettes dans le saladier. Arrosez de l'huile restante, effeuillez le thym citronné et pressez le citron au-dessus des courgettes. Salez et poivrez.

Égouttez les pâtes et versez-les dans le saladier avec la feta et les olives. Mélangez bien et servez sans attendre.

spaghettis aux tomates fraîches

Pour **4 personnes**, préparation **10 minutes**, cuisson **10 à 12 minutes**

Ingrédients

1 750 g de tomates bien mûres en quartiers

2 10 feuilles de basilic

3 2 c. à c. de graines de fenouil

4 400 g de spaghettis secs

5 2 boules de 150 g de mozzarella de bufflonne coupées en dés

Garde-manger
2 gousses d'ail pelées, 5 c. à s. d'huile d'olive vierge extra, sel et poivre noir

Placez les tomates, l'ail et le basilic dans un robot et mixez jusqu'à ce que les tomates soient hachées finement, mais pas en purée. Transvasez dans un saladier, ajoutez les graines de fenouil et l'huile d'olive. Salez et poivrez. Laissez les arômes infuser pendant au moins 15 minutes avant de faire cuire les pâtes.

Faites cuire les pâtes dans une grande casserole d'eau bouillante salée en suivant les instructions de l'emballage jusqu'à ce qu'elles soient al dente. Égouttez, versez dans la sauce et incorporez la mozzarella. Servez immédiatement.

melanzane parmigiana

Pour **6 personnes**, préparation **40 minutes**, cuisson **50 minutes** + temps de repos

Ingrédients

1 400 g de tomates concassées en boîte

2 6 aubergines

3 250 g de cheddar ou d'emmental râpé

4 50 g de parmesan râpé

Garde-manger

4 c. à s. d'huile d'olive, 1 gros oignon haché, 2 gousses d'ail finement hachées, sel et poivre noir

Faites chauffer la moitié de l'huile d'olive dans une poêle. Faites revenir l'oignon pendant 5 minutes environ, puis ajoutez l'ail et les tomates et laissez cuire 10 minutes à feu doux. Salez et poivrez bien, et gardez au chaud.

Ôtez les extrémités des aubergines et coupez-les en tranches épaisses dans le sens de la longueur. Salez généreusement et laissez reposer 10 minutes environ. Rincez bien, égouttez et tamponnez avec de l'essuie-tout.

Badigeonnez les tranches d'aubergine avec le reste d'huile et disposez-les sur 2 grandes plaques de cuisson. Faites griller les aubergines au four préchauffé à 200 °C pendant 10 minutes de chaque côté, jusqu'à ce qu'elles soient dorées et tendres. Sortez du four sans éteindre celui-ci.

Étalez un peu de sauce tomate dans un plat à gratin, puis déposez une couche d'aubergines grillées et un peu de cheddar ou d'emmental. Continuez d'alterner les couches, en terminant par le fromage. Saupoudrez de parmesan et faites cuire 30 minutes au four, jusqu'à ce que la surface soit dorée et forme des bulles. Sortez du four et laissez reposer 5 à 10 minutes.

rösti de pommes de terre et œufs au plat

Pour **4 personnes**, préparation **15 minutes**, cuisson **15 minutes**

Ingrédients

1 750 g de pommes de terre désirée épluchées

2 2 c. à c. de romarin haché

3 4 gros œufs

4 persil haché pour décorer

Garde-manger
1 oignon finement émincé, 4 c. à s. d'huile d'olive, sel et poivre noir

À l'aide d'une râpe à légumes, **râpez** grossièrement les pommes de terre. Enveloppez-les dans un torchon propre et pressez pour essorer au-dessus de l'évier. Transférez dans un saladier et incorporez l'oignon, le romarin, le sel et le poivre.

Faites chauffer la moitié de l'huile dans une grande poêle. Divisez le mélange aux pommes de terre en quatre et déposez-le dans la poêle en quatre tas de 12 cm de diamètre, en pressant pour former des galettes. Laissez cuire à feu moyen 5 minutes de chaque côté, transférez sur des assiettes réchauffées et maintenez au chaud à four moyen.

Faites chauffer le reste d'huile dans la poêle pendant 1 minute environ, ajoutez les œufs deux par deux et laissez cuire jusqu'à ce que les blancs forment des bulles et deviennent croustillants sur les bords. Servez les œufs sur les rösti, décorés de persil haché.

AVEC DES ŒUFS POCHÉS

Pour des rösti garnis d'œufs pochés, portez une casserole d'eau légèrement salée à frémissement et ajoutez 1 cuillerée à soupe de vinaigre blanc. Cassez un œuf dans une tasse. Remuez l'eau avec une grande cuillère pour créer un tourbillon, versez doucement l'œuf au milieu et laissez cuire 2 à 3 minutes. Retirez l'œuf avec précaution à l'aide d'une écumoire. Répétez l'opération avec les autres œufs et terminez la recette en suivant les instructions ci-contre.

spaghettis à la sauce tomate facile

Pour **4 personnes**, préparation **5 minutes**, cuisson **30 minutes**

Ingrédients

1 2 boîtes de 400 g de tomates concassées

2 ¼ c. à c. de piment séché en flocons

3 2 c. à s. de basilic frais haché

4 400 g de spaghettis

5 25 g de parmesan fraîchement râpé

Garde-manger
2 c. à s. d'huile d'olive vierge extra, 2 grosses gousses d'ail écrasées, 1 c. à c. de sucre en poudre, sel et poivre noir

Mettez les tomates, l'huile, l'ail, le sucre et le piment dans une casserole. Salez et poivrez, et portez à ébullition. Réduisez le feu et laissez mijoter à feu doux pendant 20 à 30 minutes, jusqu'à ce que la sauce épaississe et que les arômes se développent pleinement.

Incorporez le basilic et corrigez l'assaisonnement. Maintenez au chaud.

Faites cuire les pâtes dans une casserole d'eau bouillante légèrement salée pendant 10 à 12 minutes, ou selon les instructions de l'emballage, jusqu'à ce qu'elles soient al dente. Égouttez-les, puis répartissez-les dans des assiettes creuses. Nappez-les de sauce et servez accompagné de parmesan.

AUTRE SAUCE TOMATE FACILE
Pour une sauce tomate au piment et aux olives,
suivez la recette ci-contre en ajoutant ½ cuillerée
à café de piment séché en flocons. Incorporez
125 g d'olives noires dénoyautées juste avant
la fin de la cuisson et réchauffez.

légumes à la grecque

Pour **4 personnes**, préparation **10 minutes**, cuisson **25 minutes**

Ingrédients

1 3 poivrons de couleurs différentes, épépinés et coupés en anneaux

2 4 tomates coupées en morceaux

3 200 g de feta coupée en dés

4 1 c. à c. d'origan séché

5 persil plat ciselé pour décorer

Garde-manger
4 c. à s. d'huile d'olive, 1 oignon émincé, 4 gousses d'ail écrasées, sel et poivre

Faites chauffer 3 cuillerées à soupe d'huile d'olive dans une cocotte puis faites-y revenir l'oignon, les poivrons et l'ail. Quand les légumes commencent à se colorer, ajoutez les tomates et poursuivez la cuisson quelques minutes. Quand les légumes sont fondants, ajoutez la feta et l'origan. Salez et poivrez. Arrosez avec 1 cuillerée à soupe d'huile d'olive restante.

Couvrez et faites cuire 15 minutes dans un four préchauffé à 200 °C. Parsemez de persil ciselé et servez aussitôt avec du pain chaud bien croustillant.

rigatonis aux tomates fraîches, piment, ail et basilic

Pour **4 personnes**, préparation **10 minutes**, cuisson **10-15 minutes**

Ingrédients

1   6 grosses tomates mûres

2   1 piment rouge épépiné et haché

3   25 g de basilic finement haché

4   375 g de rigatonis

5   parmesan râpé pour servir (facultatif)

Garde-manger
1 c. à s. d'huile d'olive, 2 gousses d'ail hachées, 75 ml de bouillon de légumes, sel et poivre

Mettez les tomates dans un saladier et couvrez-les d'eau bouillante 1 à 2 minutes. Égouttez-les. Incisez en croix le sommet de chaque tomate et retirez la peau.

Lorsque les tomates ont un peu refroidi pour être manipulées, **coupez-les** en deux et retirez les pépins à l'aide d'une cuillère puis coupez la chair en dés.

Faites chauffer l'huile d'olive dans une grande poêle antiadhésive et faites revenir l'ail et le piment 1 à 2 minutes, à feu moyen, en veillant à ne pas faire brûler l'ail.

Ajoutez les tomates, le bouillon et le basilic. Salez et poivrez. Faites cuire à feu doux 6 à 8 minutes, en remuant souvent.

Pendant ce temps, **faites cuire** les rigatonis en suivant les instructions de l'emballage. Égouttez-les et ajoutez-les dans la sauce.

Mettez les pâtes dans des assiettes creuses chaudes et servez avec du parmesan râpé, si vous le souhaitez.

léger

pak choï piment-gingembre

Pour **4 personnes**, préparation **5 minutes**, cuisson **5 minutes**

Ingrédients

1 ½ piment coupé en anneaux

2 1 c. à s. de gingembre frais haché

3 500 g de pak choï, feuilles séparées

Garde-manger
1 c. à s. d'huile d'arachide, 1 grosse pincée de sel, 100 ml d'eau, ¼ de c. à c. d'huile de sésame

Faites chauffer l'huile dans un wok à feu vif. Quand elle est bien chaude, faites revenir le piment, le gingembre et le sel 15 secondes.

Ajoutez le pak choï dans le wok et faites revenir 1 minute, puis ajoutez l'eau et continuez, le temps que le pak choï soit tendre et l'eau évaporée. Versez l'huile de sésame, puis servez aussitôt.

houmous aux haricots blancs, au citron et au romarin

Pour **4 à 6 personnes**, préparation **10 minutes** + refroidissement, cuisson **10 minutes**

Ingrédients

1 4 échalotes finement hachées

2 1 c. à c. de romarin haché + quelques brins pour décorer

3 800 g de haricots blancs en boîte

4 ciabatta grillée pour servir

Garde-manger

6 c. à s. d'huile d'olive vierge extra + un peu pour servir, 2 grosses gousses d'ail écrasées, le zeste râpé et le jus de ½ citron, sel et poivre noir

Faites chauffer l'huile dans une poêle, ajoutez les échalotes, l'ail, le romarin haché et le zeste de citron, et laissez cuire 10 minutes à feu doux, en remuant de temps en temps, jusqu'à ce que les échalotes soient ramollies. Laissez refroidir.

Transférez dans un blender ou un mixeur, ajoutez les haricots blancs et le jus de citron et mixez jusqu'à obtention d'une texture lisse.

Étalez le houmous sur la ciabatta grillée, décorez de brins de romarin et servez arrosé d'un filet d'huile.

AVEC DES POIS CHICHES ET DU PIMENT

Pour un houmous plus classique, mettez 800 g de pois chiches en boîte dans un mixeur avec 2 piments rouges épépinés et hachés, 1 grosse gousse d'ail écrasée, 2 cuillerées à soupe de jus de citron, du sel et du poivre à votre convenance. Mixez en ajoutant suffisamment d'huile d'olive vierge extra pour former une pâte onctueuse. Servez avec des crudités à tremper dedans.

haricots blancs à la sauce tomate

Pour **4 à 6 personnes**, préparation **10 minutes**, cuisson **2 heures**

Ingrédients

1 2 boîtes de 400 g de haricots borlotti égouttés

2 300 ml de coulis de tomates

3 2 c. à s. de mélasse

4 2 c. à s. de purée de tomates

5 1 c. à s. de moutarde de Dijon

Garde-manger

1 gousse d'ail écrasée, 1 oignon finement haché, 450 ml de bouillon de légumes, 2 c. à s. de vergeoise brune, 1 c. à s. de vinaigre de vin rouge, sel et poivre noir

Mettez tous les ingrédients dans une cocotte allant au four. Salez et poivrez. Couvrez et portez lentement à ébullition.

Faites cuire au four préchauffé à 160 °C pendant 1 h 30. Retirez le couvercle et laissez cuire encore 30 minutes, jusqu'à ce que la sauce soit sirupeuse. Servez avec du pain grillé beurré ou des pommes de terre en robe des champs (voir ci-contre).

EN ROBE DES CHAMPS
Nettoyez à la brosse 4 pommes de terre désirée ou king edward (environ 250 g chacune), puis faites-les cuire au four à 200 °C pendant 1 heure environ. Coupez-les en deux dans le sens de la longueur, salez, poivrez et disposez-les sur les haricots cuits. Parsemez d'un peu d'emmental râpé avant de servir. Les haricots à la sauce tomate sont encore meilleurs préparés la veille et réchauffés.

taboulé aux pistaches et aux pruneaux

Pour **4 personnes**, préparation **10 minutes**
+ trempage

Ingrédients

1 150 g de boulgour

2 75 g de pistaches non salées
et décortiquées

3 25 g de persil plat haché

4 15 g de menthe hachée

5 150 g de pruneaux dénoyautés et émincés

Garde-manger
1 petit oignon rouge finement haché, 3 gousses d'ail
écrasées, le zeste finement râpé et le jus de 1 citron
jaune ou vert, 4 c. à s. d'huile d'olive, sel et poivre

Placez le boulgour dans un saladier, couvrez-le d'une grande quantité d'eau bouillante et laissez-le gonfler 15 minutes.

Pendant ce temps, **placez** les pistaches dans un autre saladier et couvrez-les d'eau bouillante. Laissez-les tremper 1 minute puis égouttez-les. Frottez les pistaches entre plusieurs couches de papier absorbant pour retirer le maximum de peaux puis retirez le reste des peaux à la main.

Mélangez les pistaches, l'oignon, l'ail, le persil, la menthe, le zeste et le jus de citron ainsi que les pruneaux dans un grand saladier.

Égouttez soigneusement le boulgour dans une passoire en le pressant avec le dos d'une cuillère. Mettez-le dans un saladier, ajoutez tous les autres ingrédients ainsi que l'huile d'olive et mélangez bien. Salez et poivrez. Placez dans un endroit frais jusqu'au moment de servir.

TABOULÉ TRADITIONNEL
Si vous n'aimez pas les pruneaux, remplacez-les par un autre fruit sec comme des abricots, des raisins, des figues ou des dattes.

spaghettis complets au pesto de basilic et de roquette

Pour **4 personnes**, préparation **10 minutes**, cuisson **15-20 minutes**

Ingrédients

1 50 g de graines de tournesol ou de courge

2 500 g de spaghettis complets

3 1 petite gousse d'ail grossièrement hachée

4 75 g de roquette

5 25 g de parmesan finement râpé + un peu pour servir (facultatif)

Garde-manger
1 petit bouquet de basilic, 6 c. à s. d'huile d'olive, 1 c. à s. de jus de citron, gros sel de mer et poivre

Faites griller les graines à sec dans une poêle 3 à 4 minutes, en remuant. Laissez refroidir dans une assiette.

Faites cuire les spaghettis al dente dans une grande casserole d'eau bouillante salée 11 à 12 minutes, ou en suivant les instructions de l'emballage.

Pendant ce temps, **pilez** l'ail avec 1 bonne pincée de gros sel dans un mortier. Ajoutez le basilic et la roquette. Pilez pour former une pâte.

Ajoutez les graines grillées et pilez pour obtenir une pâte. Mettez dans un saladier et ajoutez le parmesan, l'huile d'olive et le jus de citron. Poivrez généreusement et ajoutez un peu de sel.

Égouttez les pâtes et mélangez-les avec le pesto. Répartissez dans 4 assiettes et servez avec du parmesan, si vous le souhaitez.

champignons à la grecque

Pour **4 personnes**, préparation **10 minutes**
+ repos, cuisson **10 minutes**

Ingrédients

1 600 g de champignons de Paris coupés en deux

2 8 tomates allongées (type roma), hachées grossièrement, ou 400 g de tomates concassées en boîte

3 100 g d'olives noires dénoyautées

4 persil ciselé pour décorer

Garde-manger

8 c. à s. d'huile d'olive, 2 gros oignons émincés, 3 gousses d'ail hachées finement, 2 c. à s. de vinaigre de vin blanc, sel et poivre

Faites chauffer 2 cuillerées à soupe d'huile d'olive dans une grande poêle à frire. Faites-y dorer les oignons et l'ail. Ajoutez les champignons et les tomates puis poursuivez la cuisson 4 à 5 minutes, en remuant délicatement. Retirez la poêle du feu.

Versez cette préparation aux champignons dans un plat de service et décorez d'olives noires.

Dans un bol, **fouettez** le reste d'huile d'olive avec le vinaigre. Salez et poivrez selon votre goût, et versez cette vinaigrette sur les champignons. Parsemez de persil ciselé, couvrez et laissez reposer 30 minutes à température ambiante, avant de servir, pour que les parfums se mélangent.

pâtes aux betteraves

Pour **4 personnes**, préparation **5 minutes**, cuisson **10 minutes**

Ingrédients

1 375 g de pâtes à cuisson rapide

2 400 g de betteraves cuites

3 200 ml de crème fraîche

4 4 c. à s. de ciboulette hachée

5 4 c. à s. d'aneth haché

Garde-manger
sel et poivre

Faites cuire les pâtes en suivant les instructions de l'emballage.

Pendant ce temps, **coupez** les betteraves en dés et ajoutez-les dans la casserole avec les pâtes 1 minute avant la fin de la cuisson.

Égouttez les pâtes et les betteraves, puis remettez-les dans la casserole. Ajoutez la crème fraîche et les herbes.

Salez et poivrez. Servez aussitôt.

curry de pois chiches et chou frisé

Pour **4 personnes**, préparation **10 minutes**, cuisson **35 minutes**

Ingrédients

1 2 c. à s. de pâte de curry doux

2 400 g de tomates concassées en boîte

3 400 g de pois chiches en boîte égouttés

4 100 g de chou frisé

Garde-manger
3 c. à s. d'huile végétale, 3 oignons rouges coupés en quartiers, 300 ml de bouillon de légumes, 2 c. à c. de vergeoise blonde, sel et poivre noir

Faites chauffer l'huile dans une grande casserole et faites revenir les oignons 5 minutes jusqu'à ce qu'ils commencent à blondir. Ajoutez la pâte de curry, les tomates, les pois chiches, le bouillon et la vergeoise, et mélangez.

Portez à ébullition, puis réduisez le feu, couvrez et laissez mijoter doucement pendant 20 minutes.

Incorporez le chou frisé et laissez cuire à feu doux encore 10 minutes. Salez et poivrez à votre convenance, et servez.

omelette aux épinards et aux pommes de terre

Pour **4 à 6 personnes**, préparation **10 minutes**
+ refroidissement, cuisson **45 minutes**

Ingrédients

1 250 g de pommes de terre à chair ferme (par ex. charlotte) épluchées et coupées en dés de 1,5 cm

2 200 g de jeunes pousses d'épinard

3 6 gros œufs

Garde-manger
2 c. à s. d'huile d'olive, 1 petit oignon finement haché, sel et poivre noir

Faites cuire les pommes de terre dans une casserole d'eau bouillante légèrement salée jusqu'à ce qu'elles soient tout juste tendres ; prenez soin de ne pas trop les cuire. Égouttez, puis laissez refroidir. Rincez les épinards et égouttez-les dans une passoire. Mettez les feuilles encore humides dans une poêle sèche à feu moyen, couvrez et laissez cuire 2 à 3 minutes, en secouant la poêle de temps en temps, jusqu'à ce qu'elles soient légèrement flétries. Pressez pour essorer l'eau résiduelle, puis hachez grossièrement. Réservez.

Faites chauffer l'huile à feu doux dans une poêle antiadhésive de 20 cm de diamètre allant au four (sinon, recouvrez la poignée de papier d'aluminium). Ajoutez l'oignon et faites cuire

8 à 10 minutes environ, en remuant de temps en temps, jusqu'à ce qu'il soit ramolli. Ajoutez les pommes de terre et faites revenir pendant 2 à 3 minutes. Ajoutez les épinards et remuez.

Battez légèrement les œufs dans un saladier, salez et poivrez. Versez dans la poêle sur les légumes et laissez cuire à feu doux 10 à 12 minutes, en secouant régulièrement, jusqu'à ce que le fond soit cuit.

Mettez la poêle sous le gril à four moyen et laissez cuire 2 à 3 minutes, jusqu'à ce que la surface soit prise et légèrement dorée. Sortez du four et laissez reposer 3 à 4 minutes avant de démouler sur une planche à découper. Coupez en parts et servez immédiatement.

potiron et pesto aux noix

Pour **4 personnes**, préparation **15 minutes**, cuisson **20-25 minutes**

Ingrédients

1 1 kg de potiron

2 50 g de noix grillées

3 2 oignons de printemps parés et hachés

4 50 g de feuilles de roquette + un peu pour servir

Garde-manger

1 grosse gousse d'ail écrasée, 3 c. à s. d'huile d'olive vierge extra + un peu pour badigeonner, 3 c. à s. d'huile de noix, sel et poivre noir

Coupez le potiron en 8 quartiers. Ôtez les graines et les fibres, mais laissez la peau. Badigeonnez d'huile d'olive, salez et poivrez, puis disposez les quartiers sur une grande plaque. Faites-les cuire au four préchauffé à 220 °C pendant 20 à 25 minutes environ, en les retournant une fois, jusqu'à ce que la chair soit tendre.

Pendant ce temps, **préparez** le pesto. Placez les noix, les oignons de printemps, l'ail et la roquette dans un mixeur, et hachez finement. Tout en continuant de mixer, incorporez progressivement les huiles. Salez et poivrez le pesto à votre convenance.

Servez le potiron garni de pesto et de quelques feuilles de roquette.

pappardelles aux pousses de pois et à l'aneth

Pour **2 personnes**, préparation **5 minutes**, cuisson **12 minutes environ**

Ingrédients

1 200 g de pappardelles ou de tagliatelles

2 50 g de beurre

3 2 c. à s. d'aneth haché

4 50 g de parmesan fraîchement râpé

5 50 g de pousses de pois sans les tiges épaisses

Garde-manger
1 gousse d'ail écrasée, quartiers de citron, sel et poivre noir

Faites cuire les pâtes dans une grande casserole d'eau bouillante légèrement salée pendant 8 à 10 minutes, ou selon les instructions de l'emballage, jusqu'à ce qu'elles soient al dente. Égouttez-les et remettez-les dans la casserole.

Parsemez le beurre sur les pâtes chaudes et ajoutez l'ail, l'aneth, le parmesan et un peu de sel et de poivre. Mélangez bien, puis ajoutez les pousses de pois et remuez jusqu'à ce qu'elles soient légèrement flétries et bien réparties dans les pâtes.

Servez immédiatement, accompagné de quartiers de citron à presser sur les pâtes.

poivrons et poireaux braisés au balsamique

Pour **4 personnes**, préparation **5 minutes**, cuisson **20 minutes**

Ingrédients

1 2 poireaux coupés en tronçons de 1 cm

2 1 poivron orange épépiné et coupé en morceaux de 1 cm

3 1 poivron rouge épépiné et coupé en morceaux de 1 cm

4 1 bouquet de persil plat ciselé

Garde-manger
2 c. à s. d'huile d'olive, 3 c. à s. de vinaigre balsamique, sel et poivre

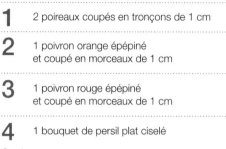

Faites chauffer l'huile d'olive dans une casserole et faites revenir les poireaux et les poivrons. Couvrez et laissez mijoter 10 minutes.

Versez le vinaigre balsamique et poursuivez la cuisson 10 minutes à découvert. Les légumes doivent être colorés par le vinaigre, et le liquide entièrement absorbé.

Salez, poivrez et saupoudrez de persil avant de servir.

patates douces au four

Pour **4 personnes**, préparation **5 minutes**, cuisson **45-50 minutes**

Ingrédients

1 4 patates douces (environ 250 g chacune) nettoyées à la brosse

2 200 g de crème fraîche

3 2 oignons de printemps parés et finement hachés

4 1 c. à s. de ciboulette ciselée

5 50 g de beurre

Garde-manger
sel et poivre noir

Mettez les patates douces dans un plat à rôtir et faites cuire au four préchauffé à 220 °C pendant 45 à 50 minutes jusqu'à ce qu'elles soient cuites à point.

Pendant ce temps, **mélangez** la crème, les oignons de printemps, le sel et le poivre dans un bol.

Coupez les patates douces en deux dans le sens de la longueur, parsemez de beurre et garnissez de crème aux oignons. Parsemez de ciboulette ciselée et servez immédiatement.

PEAUX DE PATATES DOUCES CROUSTILLANTES

Pour des patates douces façon potato skins, laissez refroidir les patates douces, coupez-les en quartiers et prélevez une partie de la chair, en laissant une bonne couche dans la peau. Faites-les frire dans l'huile chaude pendant 4 à 5 minutes, jusqu'à ce qu'elles soient croustillantes. Servez accompagné de crème fraîche et de ciboulette ciselée pour tremper.

spaghettis aux fèves et au citron

Pour **4 personnes**, préparation **10 minutes**, cuisson **15-18 minutes**

Ingrédients

1 450 g de spaghettis

2 350 g de fèves fraîches ou surgelées épluchées

3 1 pincée de piment en flocons

4 2 c. à s. de feuilles de basilic

5 parmesan ou pecorino fraîchement râpé pour servir (facultatif)

Garde-manger 4 c. à s. d'huile d'olive vierge extra, 3 gousses d'ail finement hachées, le zeste râpé et le jus de 1 citron, sel et poivre noir

Faites cuire les pâtes dans une grande casserole d'eau bouillante légèrement salée pendant 10 à 12 minutes, ou selon les instructions de l'emballage, jusqu'à ce qu'elles soient al dente. Égouttez, en réservant 4 cuillerées à soupe d'eau de cuisson, et remettez les pâtes dans la casserole.

Faites cuire les fèves dans une autre casserole d'eau bouillante salée pendant 3 à 4 minutes. Égouttez bien.

Pendant ce temps, **faites chauffer** l'huile dans une poêle, ajoutez l'ail, le piment, le zeste de citron, le sel et le poivre et faites revenir à feu doux pendant 3 à 4 minutes, jusqu'à ce que l'ail soit tendre sans être doré.

Versez ce mélange sur les pâtes, ajoutez les fèves, l'eau de cuisson réservée, le jus de citron et le basilic, mélangez et faites réchauffer à feu moyen en remuant. Servez avec du parmesan ou du pecorino si vous le souhaitez.

AVEC DES PETITS POIS ET DE LA MENTHE
Pour des spaghettis aux petits pois et à la menthe, remplacez les fèves par 350 g de petits pois frais écossés ou de petits pois surgelés et suivez la recette ci-contre, en ajoutant 2 cuillerées à soupe de menthe ciselée à la place du basilic juste avant de servir.

salade libanaise aux lentilles et au boulgour

Pour **4 personnes**, préparation **10 minutes**,
cuisson **30 minutes**

Ingrédients

1	100 g de lentilles du Puy
2	1 c. à s. de concentré de tomates
3	100 g de boulgour
4	1 bouquet de menthe ciselée
5	3 tomates finement hachées

Garde-manger
750 ml de bouillon de légumes, le jus de 1 citron,
1 c. à s. d'huile d'olive, 2 oignons émincés, 1 c. à c.
de sucre cristallisé, sel et poivre

Versez les lentilles, le concentré de tomates et le bouillon de légumes dans une casserole, puis portez à ébullition. Réduisez le feu, couvrez hermétiquement et laissez mijoter 20 minutes. Ajoutez le boulgour et le jus de citron. Salez et poivrez. Faites cuire 10 minutes jusqu'à absorption complète du bouillon.

Pendant ce temps, **faites chauffer** l'huile d'olive dans une poêle. Ajoutez les oignons et le sucre, et faites cuire à feu doux jusqu'à ce que le mélange caramélise.

Mélangez la menthe à la préparation aux lentilles et au boulgour, et servez chaud avec les oignons caramélisés et les tomates hachées.

entre amis

tarte aux oignons rouges et au chèvre

Pour **4 personnes**, préparation **15 minutes**
+ refroidissement, cuisson **40 minutes**

Ingrédients

1 25 g de beurre doux

2 2 c. à s. de thym haché + quelques feuilles
pour décorer

3 320 g de pâte feuilletée prête à dérouler,
décongelée si surgelée

4 200 g de chèvre en bûche coupé
en 8 rondelles

Garde-manger
4 gros oignons rouges finement émincés, 1 c. à c.
de vergeoise blonde, 2 c. à c. de vinaigre balsamique

Faites fondre le beurre dans une grande
poêle, ajoutez les oignons, la vergeoise et le
thym haché et laissez cuire à feu doux pendant
20 minutes, en remuant de temps en temps,
jusqu'à ce que les oignons commencent
à caraméliser. Incorporez le vinaigre et
faites cuire encore 1 minute. Laissez tiédir.

Déroulez la pâte et placez-la sur une plaque
de cuisson antiadhésive. À l'aide d'un couteau
aiguisé, tracez une ligne le long de chaque
côté de la pâte à 2,5 cm du bord, en prenant
soin de ne pas couper la pâte.

Étalez les oignons caramélisés sur la pâte
à l'intérieur des bordures, puis répartissez
les rondelles de chèvre.

Faites cuire au four préchauffé à 200 °C
pendant 20 minutes, jusqu'à ce que la pâte
soit gonflée et dorée. Servez décoré
de quelques feuilles de thym.

pilaf à la sauge et à la tomate

Pour **4 personnes**, préparation **15 minutes**, cuisson **40 à 45 minutes + 20 minutes**

Ingrédients

1   500 g de tomates allongées

2   1 poivron rouge épépiné et coupé en quatre

3   1 petit bouquet de sauge

4   200 g d'un mélange de riz long grain et de riz sauvage

Garde-manger
1 oignon grossièrement haché, 2 c. à s. d'huile d'olive, sel et poivre

Coupez chaque tomate en huit et les quartiers de poivron en grosses lamelles. Mettez-les dans un plat à four avec l'oignon, puis arrosez-les d'un filet d'huile d'olive. Salez et poivrez généreusement. Coupez quelques feuilles de sauge en morceaux et parsemez-les sur les légumes. Faites cuire 40 à 45 minutes dans un four préchauffé à 200 °C.

Pendant ce temps, **faites cuire** le riz dans une casserole d'eau bouillante pendant 15 minutes jusqu'à ce qu'il soit à peine cuit. Égouttez le riz, rincez-le à l'eau froide et égouttez-le soigneusement. Mélangez le riz aux légumes et couvrez d'une feuille d'aluminium. Laissez refroidir, puis placez au réfrigérateur.

Au moment de servir, **réchauffez** le plat dans un four préchauffé à 180 °C pendant 20 minutes sans retirer la feuille d'aluminium. Mélangez bien et servez dans des assiettes ou des bols puis parsemez du reste de sauge. Servez avec du pain ciabatta ou du pain aux herbes.

VARIANTE AU POTIRON ET AU BLEU

Pour un riz au potiron et au bleu, faites revenir
500 g de potiron épluché et coupé en morceaux
avec 3 tomates allongées coupées en deux et
1 oignon, comme indiqué ci-contre. Faites cuire
le riz 15 minutes puis égouttez-le. Mélangez le riz
aux légumes, laissez refroidir et placez au réfrigérateur.
Au moment de servir, réchauffez le plat en suivant
la recette ci-contre mais en le parsemant de 125 g
de fromage à pâte persillée (type bleu de Bresse).
Servez sans attendre.

lasagnes champignons-épinards

Pour **4 personnes**, préparation **20 minutes**, cuisson **25 à 30 minutes**

Ingrédients

1 6 feuilles de lasagnes fraîches (250 g)

2 500 g d'un mélange de champignons (sauvages, de Paris, shiitakés), émincés

3 200 g de mascarpone

4 125 g de jeunes pousses d'épinard

5 150 g de gruyère écroûté et coupé en cubes ou de taleggio

Garde-manger

3 c. à s. d'huile d'olive, 2 gousses d'ail finement hachées, sel et poivre

Étalez les feuilles de lasagnes sur une grande plaque de four et couvrez-les d'eau bouillante. Laissez-les tremper 5 minutes, puis égouttez-les.

Faites chauffer l'huile d'olive dans une grande poêle et faites revenir les champignons 5 minutes. Ajoutez l'ail et le mascarpone. Poursuivez la cuisson 1 minute à feu vif pour obtenir une sauce épaisse. Salez et poivrez. Faites cuire les jeunes pousses d'épinard 2 minutes à la vapeur ou au micro-ondes.

Huilez un grand plat à gratin. Couvrez le fond avec 2 feuilles de lasagnes en les faisant se chevaucher légèrement. Répartissez $1/3$ du fromage, de la sauce aux champignons et des jeunes pousses d'épinard sur les feuilles de lasagnes. Superposez 2 autres couches de la même manière, en utilisant pour chacune 2 feuilles de lasagnes et $1/3$ des ingrédients. Faites cuire 15 à 20 minutes dans le four préchauffé à 200 °C.

toasts à la tapenade noire

Pour **4 personnes**, préparation **15 minutes**, cuisson **3 à 4 minutes + 10 minutes**

Ingrédients

1 12 tranches fines de baguette

2 200 g d'un mélange d'olives marinées dénoyautées

3 1 petit bouquet de basilic

4 25 g de pecorino ou de parmesan râpé

Garde-manger
1 gousse d'ail coupée en deux, 2 c. à s. d'huile d'olive

Faites légèrement griller le pain de chaque côté. Frottez l'un des côtés avec l'ail. Posez les tranches de pain grillé sur une plaque de cuisson.

Hachez finement les olives dans un robot, ajoutez l'huile et la quasi-totalité du basilic puis mixez de nouveau jusqu'à obtenir une pâte pas trop lisse. Étalez-la sur le pain grillé. Couvrez et placez au réfrigérateur.

Au moment de servir, **faites-les réchauffer** 10 minutes à découvert dans un four préchauffé à 190 °C. Disposez-les sur une assiette. Parsemez de pecorino ou de parmesan ainsi que du reste des feuilles de basilic.

tarte Tatin aux échalotes

Pour **4 personnes**, préparation **25 minutes**,
cuisson **12 minutes + 25 à 30 minutes**

Ingrédients

1 500 g d'échalotes pelées

2 50 g de beurre

3 quelques branches de thym effeuillées

4 250 g de pâte feuilletée

Garde-manger
2 c. à s. de sucre roux, 3 c. à s. de vinaigre de cidre,
farine pour saupoudrer, sel et poivre

Coupez en deux les échalotes les plus grosses. Faites fondre le beurre dans une poêle de 20 cm de diamètre. Faites revenir les échalotes à feu moyen 5 minutes jusqu'à ce qu'elles commencent à dorer.

Ajoutez le sucre et faites caraméliser 5 minutes. Ajoutez le vinaigre et le thym. Salez et poivrez légèrement. Faites cuire 2 minutes de plus.

Transférez les échalotes dans un moule à manqué beurré de 20 cm de diamètre et laissez-les refroidir 20 minutes.

Étalez la pâte feuilletée sur un plan de travail fariné et découpez un disque de 20 cm de diamètre. Placez la pâte sur les échalotes et rentrez les bords à l'intérieur du moule. Couvrez avec du film alimentaire et placez au réfrigérateur.

Au moment de servir, **retirez** le film alimentaire et faites cuire la tarte 25 à 30 minutes dans un four préchauffé à 200 °C jusqu'à ce que la pâte soit bien gonflée et dorée. Laissez reposer 5 minutes puis détachez les bords à l'aide d'un couteau. Posez le plat de service ou une grande planche à découper sur le moule et retournez d'un geste vif. Démoulez et servez chaud avec une salade verte.

linguines courgettes-gremolata

Pour **4 personnes**, préparation **15 minutes**, cuisson **12 minutes**

Ingrédients

1 10 c. à s. de persil plat haché

2 6 grosses courgettes coupées en rondelles épaisses

3 8 oignons blancs finement émincés

4 400 g de linguines sèches

5 copeaux de parmesan frais pour servir

Garde-manger
2 c. à s. d'huile d'olive, le zeste finement râpé de 2 citrons non traités, 1 c. à s. d'huile d'olive, 2 gousses d'ail écrasées

Commencez par préparer la gremolata : mélangez tous les ingrédients dans un récipient.

Faites chauffer l'huile d'olive à feu vif dans une poêle antiadhésive, mettez-y les courgettes et faites cuire 10 minutes en remuant fréquemment, ou jusqu'à ce que les courgettes soient dorées. Ajoutez les oignons blancs et poursuivez la cuisson 1 à 2 minutes en remuant.

Pendant ce temps, **faites cuire** les pâtes dans une grande casserole d'eau bouillante salée en suivant les instructions de l'emballage jusqu'à ce qu'elles soient al dente.

Égouttez les pâtes soigneusement et versez-les dans un saladier de service. Ajoutez les courgettes, la gremolata et mélangez bien. Servez sans attendre parsemé de copeaux de parmesan.

SAVEURS ASIATIQUES
Pour apporter une note asiatique à la gremolata,
utilisez du zeste de citron vert finement râpé au lieu
du zeste de citron, et remplacez le persil par
de la coriandre.

salade de nouilles soba à la japonaise

Pour **4 personnes**, préparation **5-10 minutes**

Ingrédients

1 625 g de nouilles soba cuites

2 2 carottes coupées en fine julienne

3 6 ciboules émincées

4 1 poivron rouge coupé en fines tranches

5 4 c. à s. de sauce soja foncée

Garde-manger
3 c. à s. d'huile de sésame, 1 c. à s. de mirin,
1 c. à s. de sucre en poudre, ½ c. à c. d'huile
pimentée

Mettez dans un saladier les nouilles soba,
les carottes, les ciboules et le poivron.

Dans un bol, **mélangez** la sauce soja,
l'huile de sésame, le mirin, le sucre et l'huile
pimentée. Versez sur la salade de nouilles.

Mélangez bien. Servez frais ou à température
ambiante.

salade au riz sauvage et au chèvre

Pour **4 personnes**, préparation **10 minutes**, cuisson **15 minutes**

Ingrédients

1 250 g d'un mélange de riz blanc et de riz sauvage

2 100 g de haricots verts

3 125 g de fromage de chèvre en tranches

4 8 tomates cerises coupées en deux

5 1 petit bouquet de basilic découpé à la main

Garde-manger
4 c. à s. d'huile d'olive, 3 oignons rouges finement émincés, 150 ml de vinaigre balsamique, 1 c. à s. de thym haché

Faites cuire le riz dans de l'eau bouillante salée pendant 15 minutes jusqu'à ce qu'il commence à être tendre (sinon, suivez les instructions figurant sur l'emballage). Ajoutez les haricots verts 2 minutes avant la fin de la cuisson. Égouttez et réservez.

Faites chauffer l'huile d'olive dans une grande poêle et faites dorer les oignons à feu doux pendant 12 minutes. Ajoutez le vinaigre balsamique et le thym. Salez et poivrez. Laissez cuire à petits frémissements 2 à 3 minutes jusqu'à ce que le mélange commence à épaissir.

Mélangez les oignons au riz et aux haricots et laissez refroidir. Lorsque le plat est froid, ajoutez le fromage, les tomates et les feuilles de basilic. Servez.

pesto tomates-pignons-roquette

Pour **4 à 6 personnes**, préparation **10 minutes**, cuisson **10 à 12 minutes**

Ingrédients

1 400 à 600 g de pâtes sèches torsadées, type fusillis

2 3 tomates mûres

3 50 g de feuilles de roquette + quelques-unes pour décorer

4 100 g de pignons de pin

5 feuilles de basilic pour décorer

Garde-manger
4 gousses d'ail épluchées, 150 ml d'huile d'olive, sel et poivre noir

Faites cuire les pâtes dans une grande casserole d'eau bouillante salée, en suivant les instructions de l'emballage jusqu'à ce qu'elles soient al dente.

Pendant ce temps, **hachez** finement à la main les tomates, les gousses d'ail, la roquette et les pignons, puis versez l'huile d'olive. Salez et poivrez. Transvasez dans un saladier.

Égouttez les pâtes, versez-les dans le saladier et remuez bien. Servez immédiatement, agrémenté de quelques feuilles de basilic.

semoule aux pignons, grenade et fines herbes

Pour **4 personnes**, préparation **15 minutes**, cuisson **10 minutes**

Ingrédients

1 500 g de semoule

2 1 grenade

3 50 g de pignons de pin grillés

4 3 c. à s. de persil plat ciselé

5 3 c. à s. de coriandre ciselée

Garde-manger
2 c. à s. d'huile d'olive, 1 oignon doux haché, 2 gousses d'ail pilées, 300 ml de bouillon de légumes, 3 c. à s. d'aneth ciselé, le jus et le zeste râpé de 1 citron, sel et poivre

Faites chauffer l'huile d'olive dans une grande poêle et faites-y blondir l'oignon et l'ail environ 5 minutes. Ajoutez le bouillon. Quand le bouillon est chaud, versez-y la semoule. Remuez, couvrez et faites chauffer 5 minutes à feu doux.

Pendant ce temps, **ôtez** les graines de la grenade au-dessus d'un bol, de manière à récolter le jus.

Quand la semoule est cuite, **ajoutez** les pignons et les herbes. Salez et poivrez légèrement.

Mélangez les graines et le jus de grenade, le zeste et le jus de citron. Versez ce mélange sur la semoule juste avant de servir.

gratin d'aubergines au chèvre

Pour **6 personnes**, préparation **10 minutes**, cuisson **1 h 10**

Ingrédients

1   2 boîtes de 400 g de tomates concassées

2   2 c. à s. de basilic haché

3   2 aubergines

4   250 g de chèvre doux coupé en tranches ou émietté

5   50 g de parmesan fraîchement râpé

Garde-manger
huile en vaporisateur, 2 grosses gousses d'ail écrasées, 4 c. à s. d'huile d'olive vierge extra, 1 c. à c. de sucre en poudre, sel et poivre noir

Huilez légèrement un plat à gratin de 1,5 litre à l'aide d'un vaporisateur. Mettez les tomates, l'ail, la moitié de l'huile d'olive, le sucre, le basilic, le sel et le poivre dans une casserole et portez à ébullition.

Réduisez le feu et laissez mijoter 30 minutes environ jusqu'à ce que les tomates aient réduit et que leur sauce ait épaissi.

Coupez chaque aubergine dans le sens de la longueur en 6 tranches fines. Salez et poivrez le reste d'huile d'olive, puis badigeonnez-en les tranches d'aubergines.

Passez sous le gril à four chaud 3 à 4 minutes de chaque côté, jusqu'à ce que les aubergines soient grillées et tendres.

Disposez un tiers des tranches d'aubergines, en les faisant se chevaucher légèrement, au fond du plat huilé. Ajoutez un tiers de la sauce tomate, du chèvre et du parmesan. Répétez l'opération deux fois, en terminant par une couche de fromage.

Faites cuire au four préchauffé à 200 °C pendant 30 minutes, jusqu'à ce que la surface soit dorée et bouillonne.

risotto au riz rouge et au potiron

Pour **4 personnes**, préparation **20 minutes**,
cuisson **35 minutes**

Ingrédients

1   250 g de riz rouge de Camargue

2   750 g de potiron pelé, épépiné
et coupé en dés

3   5 c. à s. de basilic ou d'origan frais ciselé
+ quelques feuilles pour décorer

4   50 g de parmesan râpé grossièrement
+ quelques copeaux pour décorer

Garde-manger
1 litre de bouillon de légumes, 1 c. à s. d'huile d'olive,
1 oignon émincé, 2 gousses d'ail hachées finement,
sel et poivre

Versez le bouillon dans une grande casserole.
Jetez-y le riz et laissez mijoter 35 minutes.

Pendant ce temps, **faites chauffer** l'huile
dans une poêle et faites-y blondir l'oignon
5 minutes, en remuant. Ajoutez l'ail, les dés
de potiron, un peu de sel et de poivre,
mélangez puis couvrez et laissez cuire
10 minutes à feu moyen, en remuant
de temps en temps.

Égouttez le riz et réservez l'eau de cuisson.
Ajoutez le basilic (ou l'origan) dans la poêle
avec le riz égoutté et le parmesan râpé.
Rectifiez l'assaisonnement et, si nécessaire,
mouillez avec de l'eau de cuisson du riz.

Répartissez le risotto dans des assiettes
et parsemez de feuilles de basilic
et de copeaux de parmesan.

gingembre et tofu frits à l'aigre-douce

Pour **4 personnes**, préparation **15 minutes**, cuisson **30 à 40 minutes**

Ingrédients

1 300 g de racine de gingembre frais, épluchée et finement hachée

2 500 g de tofu ferme, égoutté et coupé en dés de 1 cm

3 2 c. à s. de sauce soja claire

4 3 c. à s. de jus de tamarin ou 2 c. à s. de jus de citron vert

5 une poignée de feuilles de coriandre pour décorer

Garde-manger

huile de tournesol pour la friture, 2 gousses d'ail émincées, 40 g de sucre de noix de coco, de palme ou roux, ou 3 c. à s. de miel liquide, 2 c. à s. de bouillon de légumes ou d'eau

Faites chauffer 5 cm d'huile dans un wok à feu moyen. Faites frire tout le gingembre sans remuer 6 à 8 minutes, puis en remuant jusqu'à ce qu'il soit doré. Égouttez sur du papier absorbant.

Plongez doucement les dés de tofu dans l'huile, en plusieurs fois, et faites-les frire 5 à 6 minutes. Égouttez-les sur du papier absorbant.

Videz la plupart de l'huile, en laissant 1 ½ cuillerée à soupe dans le wok. Faites-y dorer l'ail 1 à 2 minutes à feu moyen. Ajoutez le sucre ou le miel, la sauce soja, le bouillon ou l'eau et le jus de tamarin ou le jus de citron vert, et remuez à feu doux pour épaissir la préparation. Goûtez et ajustez l'assaisonnement. Ajoutez le tofu et la plupart du gingembre, et mélangez.

Dressez dans 4 bols et garnissez avec le reste de gingembre croustillant. Servez avec un curry rouge ou vert.

desserts

sabayon aux cerises et à la cannelle

Pour **4 personnes**, préparation **10 minutes**, cuisson **12-15 minutes**

Ingrédients

1 4 jaunes d'œufs

2 150 ml de xérès cream

3 1 grosse pincée de cannelle en poudre

4 425 g de cerises noires au sirop

5 2 biscuits amaretti émiettés pour décorer

Garde-manger
125 g de sucre en poudre

Versez 5 cm d'eau dans une casserole moyenne et portez à ébullition. Couvrez avec un grand saladier résistant à la chaleur, en veillant à ce que l'eau ne le touche pas. Réduisez le feu afin que l'eau frémisse, puis ajoutez les jaunes d'œufs, le sucre, le xérès et la cannelle dans le saladier. Battez au fouet pendant 5 à 8 minutes, jusqu'à ce que le mélange soit très dense et mousseux et qu'il nappe le fouet lorsque vous le soulevez.

Égouttez une partie du sirop des cerises, puis mettez les cerises et un peu de sirop dans une petite casserole. Réchauffez puis répartissez dans 4 verres ou coupes à dessert.

Versez la crème chaude dessus et décorez avec les biscuits amaretti émiettés. Servez immédiatement.

crêpes aux pommes cannelle et au chocolat

Pour **4 personnes**, préparation **10 minutes**, cuisson **7 à 8 minutes**

Ingrédients

1 40 g de beurre doux

2 3 pommes coupées en tranches épaisses

3 2 grosses pincées de cannelle

4 4 crêpes prêtes à l'emploi d'environ 20 cm de diamètre

5 4 c. à s. de pâte à tartiner au chocolat et aux noisettes

Garde-manger
sucre glace pour décorer

Faites fondre la moitié du beurre dans une grande poêle. Faites-y revenir les pommes pendant 3 à 4 minutes, en les retournant de temps en temps et jusqu'à ce qu'elles soient bien chaudes et légèrement dorées. Saupoudrez de cannelle.

Séparez les crêpes. Nappez-les de pâte à tartiner. Répartissez les pommes sur la moitié de chaque crêpe. Pliez les crêpes en deux.

Faites chauffer le reste de beurre dans la poêle, et faites chauffer les crêpes 2 minutes de chaque côté. Posez les crêpes sur les assiettes, saupoudrez de sucre glace tamisé et servez.

PÊCHE MELBA

Pour une variante pêche Melba, remplacez les pommes par 2 grosses pêches coupées en tranches épaisses. Supprimez la cannelle. Nappez les crêpes de confiture de framboises (4 cuillerées à soupe). Ajoutez les pêches, pliez les crêpes en deux, puis réchauffez-les dans la poêle. Décorez avec des framboises fraîches, saupoudrez de sucre glace et servez avec une boule de glace.

sorbet au melon, gingembre et citron vert

Pour **4 personnes**, préparation **15 minutes**
+ congélation

Ingrédients

1 1 gros melon charentais ou galia bien mûr
et froid

2 1 c. à s. de gingembre frais pelé
et finement râpé

3 le jus de 2 citrons verts

Garde-manger
150 g de sucre en poudre

Coupez le melon en deux et ôtez les pépins, puis hachez grossièrement la chair – il vous en faut environ 450 g. Placez dans un blender ou un mixeur avec le sucre, le gingembre et le jus de citron vert, puis mixez jusqu'à obtention d'un mélange homogène.

Transférez ce mélange dans une sorbetière et suivez les instructions du fabricant. Si vous n'avez pas de sorbetière, mettez le mélange dans un récipient résistant au froid et placez au congélateur pendant 2 à 3 heures, jusqu'à ce que du givre apparaisse à la surface. Battez au fouet électrique jusqu'à obtention d'une consistance lisse, puis remettez au congélateur. Répétez l'opération deux fois, jusqu'à obtention d'un sorbet à la texture fine,

et laissez au congélateur jusqu'à ce qu'il soit ferme.

Sortez le sorbet du congélateur environ 10 minutes avant de servir. Servez dans des verres ou des coupes à dessert, accompagné d'une gaufrette.

sorbet aux fruits rouges

Pour **2 personnes**, préparation **5 minutes** + congélation

Ingrédients

1 250 g de mélange de fruits rouges surgelés

2 75 ml de sirop de fruits rouges

3 2 c. à s. de kirsch

4 1 c. à s. de jus de citron vert

Placez un récipient en plastique peu profond dans le congélateur pour le refroidir. Mixez les fruits rouges, le sirop, le kirsch et le jus de citron vert dans un mixeur ou un blender jusqu'à obtention d'une purée lisse. Prenez soin de ne pas trop mixer, pour éviter que le mélange soit trop liquide.

Versez dans le récipient froid et mettez au congélateur pour au moins 25 minutes. Répartissez dans des coupes ou des bols et servez.

AVEC DES FRAMBOISES
Pour un sorbet aux framboises, remplacez
les ingrédients par 250 g de framboises surgelées,
75 ml de sirop de fleur de sureau, 2 cuillerées
à soupe de crème de cassis et 1 cuillerée à soupe
de jus de citron, puis suivez la recette ci-contre.

gâteau mousseux au chocolat et au piment

Pour **8 à 10 personnes**, préparation **20 minutes**
+ refroidissement et réfrigération, cuisson **35 minutes**

Ingrédients

1 300 g de chocolat noir au piment de bonne qualité (70 % de cacao minimum) cassé en morceaux

2 150 g de beurre doux coupé en dés

3 6 œufs

4 1 piment rouge finement émincé

5 le zeste râpé et le jus de 1 citron vert

Garde-manger
125 g de sucre en poudre, 100 g de sucre blond en poudre

Tapissez un moule à charnière de 20 cm de diamètre avec du papier sulfurisé. Faites fondre le chocolat et le beurre au bain-marie.

Pendant ce temps, **battez** les jaunes d'œufs avec le sucre en poudre dans un saladier à l'aide d'un fouet électrique jusqu'à obtention d'un mélange clair et dense. Incorporez le chocolat fondu. Battez les blancs d'œufs en neige dans un saladier bien propre et sec. Incorporez-en 2 cuillerées à soupe dans le mélange au chocolat pour le fluidifier, puis ajoutez le reste de blancs d'œufs en neige et mélangez à l'aide d'une cuillère en métal.

Versez le tout dans le moule préparé et faites cuire au four préchauffé à 180 °C pendant

20 minutes. Sortez du four, recouvrez de papier d'aluminium (pour empêcher la formation d'une croûte trop épaisse) et laissez refroidir. Placez au réfrigérateur pendant au moins 4 heures ou toute une nuit.

Préparez le sirop. Mélangez le piment, le zeste et le jus de citron vert, le sucre blond en poudre et 150 ml d'eau dans une petite casserole, et faites chauffer à feu doux en remuant jusqu'à dissolution du sucre.

Portez à ébullition, puis laissez mijoter 10 minutes jusqu'à obtention d'un sirop. Laissez refroidir. Sortez le gâteau du réfrigérateur 30 minutes avant de servir en parts, arrosées de sirop.

beignets aux pommes et sauce aux mûres

Pour **4 personnes**, préparation **15 minutes**,
cuisson **10 minutes** environ

Ingrédients

1   2 œufs

2   150 ml de lait

3   4 pommes à couteau épluchées,
épépinées et coupées en tranches
épaisses

4   150 g de mûres surgelées

Garde-manger
125 g de farine ordinaire, 4 c. à s. de sucre
en poudre, huile de tournesol pour frire, sucre glace
pour saupoudrer

Séparez le blanc et le jaune d'un œuf, puis placez le blanc dans un saladier et le jaune avec le deuxième œuf entier dans un autre. Ajoutez la farine et la moitié du sucre en poudre dans le second saladier. Battez le blanc d'œuf en neige, puis utilisez le même fouet pour battre le contenu du second saladier jusqu'à obtention d'un mélange lisse, en incorporant le lait progressivement. Incorporez le blanc d'œuf en neige.

Versez l'huile dans une casserole profonde à fond épais jusqu'à un tiers du bord, puis faites-la chauffer jusqu'à 180 à 190 °C, ou jusqu'à ce qu'un cube de pain brunisse en 30 secondes. Trempez quelques tranches de pomme dans la pâte et tournez doucement

pour les enrober. Prélevez une tranche et plongez-la dans l'huile avec précaution. Faites frire les autres tranches en plusieurs fois pendant 2 à 3 minutes, en les retournant régulièrement, jusqu'à ce qu'elles soient dorées sur toute la surface. Retirez-les avec une écumoire et égouttez-les sur de l'essuie-tout.

Pendant ce temps, **mettez** les mûres et le reste de sucre dans une petite casserole avec 2 cuillerées à soupe d'eau et faites chauffer 2 à 3 minutes jusqu'à ce que le mélange soit bien chaud. Disposez les beignets sur des assiettes, garnissez de sauce aux mûres à l'aide d'une cuillère et saupoudrez de sucre glace.

BEIGNETS À LA BANANE

Pour des beignets à la banane avec une sauce aux framboises, remplacez les pommes par 4 bananes coupées en tranches épaisses et les mûres par 150 g de framboises surgelées, puis suivez la recette ci-contre.

figues au chèvre doux

Pour **4 personnes**, préparation **10 minutes**, cuisson **10-12 minutes**

Ingrédients

1 8 figues mûres mais fermes

2 75 g de chèvre doux

3 8 feuilles de menthe

4 150 g de petites feuilles de roquette

Garde-manger
3 c. à s. d'huile d'olive vierge extra, 1 c. à c. de jus de citron, sel et poivre noir

Incisez le haut de chaque figue en croix, sans couper la base. Déposez 1 cuillerée à café de chèvre et 1 feuille de menthe dans chaque figue. Transférez sur une plaque, salez, poivrez et arrosez de 2 cuillerées à soupe d'huile.

Faites cuire au four préchauffé à 190 °C pendant 10 à 12 minutes jusqu'à ce que les figues soient molles et le fromage fondu.

Mettez les feuilles de roquette dans un saladier. Battez le reste d'huile avec le jus de citron, le sel et le poivre, puis versez en filet sur la roquette. Servez avec les figues.

yaourt aux fraises écrasées et à la lavande

Pour **4 personnes**, préparation **10 minutes**

Ingrédients

1 400 g de fraises fraîches

2 4 ou 5 brins de lavande + un peu pour décorer

3 400 g de yaourt à la grecque

4 4 meringues toutes faites

Garde-manger
2 c. à s. de sucre glace + un peu pour servir

Réservez 4 petites fraises pour décorer. Équeutez le reste, placez-les dans un saladier avec le sucre glace et écrasez le tout à l'aide d'une fourchette. Vous pouvez aussi mixer les fraises et le sucre glace dans un mixeur ou un blender jusqu'à obtention d'une purée lisse. Prélevez les fleurs des brins de lavande, émiettez-les dans la purée de fraises et mélangez.

Mettez le yaourt dans un saladier, émiettez les meringues dessus et mélangez légèrement. Ajoutez la purée de fraises et incorporez à l'aide d'une cuillère jusqu'à obtention d'un mélange marbré. Répartissez dans 4 verres ou coupes à dessert.

Coupez en deux les fraises réservées, puis décorez les portions avec celles-ci et quelques brins de lavande. Saupoudrez un peu de sucre glace et servez immédiatement.

mousse onctueuse au chocolat

Pour **4 personnes**, préparation **5 minutes**
+ réfrigération, cuisson **3-4 minutes**

Ingrédients

1 175 g de chocolat noir coupé en morceaux

2 100 ml de crème épaisse

3 3 œufs (blancs et jaunes séparés)

4 cacao en poudre pour décorer

Mettez le chocolat et la crème dans un saladier résistant à la chaleur placé sur une casserole d'eau frémissante, en veillant à ce que l'eau ne touche pas le saladier, et remuez jusqu'à ce que le chocolat soit fondu. Retirez le saladier de la casserole, laissez refroidir 5 minutes, puis incorporez les jaunes d'œufs un par un en battant.

Battez les blancs d'œufs en neige très ferme dans un saladier bien propre, puis incorporez-les délicatement dans le mélange au chocolat. Répartissez la mousse dans 4 verres ou coupes à dessert et placez au réfrigérateur pendant 2 heures. Saupoudrez de cacao avant de servir.

AVEC UNE TOUCHE D'ORANGE
Pour une mousse au chocolat et à l'orange, ajoutez le zeste râpé de 1 grosse orange et 2 cuillerées à soupe de Grand Marnier® dans le chocolat fondu et la crème, puis suivez la recette ci-contre.

crème caramel à la noix de coco

Pour **4 personnes**, préparation **15 minutes** + refroidissement, cuisson **30 minutes**

Ingrédients

1 2 œufs + 2 jaunes d'œufs

2 400 ml de lait de coco

3 125 ml de lait demi-écrémé

4 150 g de framboises

5 5 g de beurre

Garde-manger
125 g de sucre en poudre + 2 c. à s., 125 ml d'eau, 2 c. à s. d'eau bouillante

Faites chauffer le sucre en poudre et l'eau dans une petite casserole en remuant pour faire fondre le sucre. Portez à ébullition et faites cuire sans remuer 5 minutes.

Retirez la casserole du feu, ajoutez l'eau bouillante et inclinez la casserole dans tous les sens pour bien mélanger l'eau et le sirop jusqu'à ce qu'il n'y ait plus de bulles. Tenez la casserole à bout de bras pour éviter les projections. Répartissez le caramel dans 4 moules en métal de 250 ml et tapissez l'intérieur de caramel. Placez les moules dans un plat.

Fouettez les œufs, les jaunes d'œufs et le sucre en poudre dans un saladier. Versez le lait de coco et le lait demi-écrémé dans une casserole et portez à ébullition puis versez peu à peu sur les œufs en fouettant sans cesse. Filtrez puis répartissez dans les moules.

Versez de l'eau chaude (mais pas bouillante) dans le plat à mi-hauteur. Couvrez le dessus des moules avec une feuille d'aluminium beurrée et faites cuire 30 minutes dans un four préchauffé à 160 °C. Retirez du four et laissez les moules dans l'eau 10 minutes. Retirez-les et laissez-les refroidir puis mettez au réfrigérateur pendant 4 heures au moins. Au moment de servir, **trempez** le fond des moules dans de l'eau bouillante pendant 10 secondes puis retournez-les sur une assiette à dessert. Décorez avec des framboises.

bananes grillées aux myrtilles

Pour **4 personnes**, préparation **5 minutes**, cuisson **8 à 10 minutes**

Ingrédients

1   4 bananes non pelées

2   8 c. à s. de yaourt grec sans matières grasses

3   4 c. à s. de flocons d'avoine

4   125 g de myrtilles

5   miel liquide pour servir

Faites chauffer une poêle striée à feu moyen, ajoutez les bananes et grillez-les 8 à 10 minutes, jusqu'à ce que la peau commence à noircir, en les retournant de temps en temps.

Transférez les bananes sur des assiettes et, à l'aide d'un couteau aiguisé, coupez-les en deux dans la longueur. Garnissez de yaourt et parsemez de flocons d'avoine et de myrtilles. Servez immédiatement, arrosé d'un peu de miel.

YAOURT AU MUESLI
Pour du yaourt aux flocons d'avoine, au gingembre
et aux raisins de Smyrne, mélangez ½ cuillerée à café
de gingembre moulu avec le yaourt dans un saladier.
Saupoudrez 2 à 4 cuillerées à soupe de vergeoise
brune (selon votre goût), les flocons d'avoine
et 4 cuillerées à soupe de raisins de Smyrne.
Laissez reposer 5 minutes avant de servir.

roulé meringué aux abricots

Pour **8 personnes**, préparation **35 minutes**
+ refroidissement, cuisson **25 minutes**

Ingrédients

1   4 blancs d'œufs

2   1 c. à c. de fécule de maïs

3   200 g d'abricots secs

4   150 ml de crème fraîche

5   150 g de fromage blanc

Garde-manger

250 g de sucre en poudre + quelques pincées pour saupoudrer le papier, 1 c. à c. de vinaigre de vin blanc, 300 ml d'eau

Fouettez les blancs d'œufs en neige. Incorporez progressivement le sucre et continuez de fouetter jusqu'à ce que le mélange soit épais et satiné.

Mélangez la fécule et le vinaigre jusqu'à obtention d'un mélange lisse. Incorporez-le aux blancs d'œufs.

Tapissez un moule à roulé de 33 x 23 cm de papier sulfurisé en le faisant dépasser légèrement des bords. Étalez la pâte dans le moule. Lissez la surface. Faites cuire 10 minutes dans un four préchauffé à 190 °C jusqu'à ce que la pâte ait bien gonflé et doré. Réduisez la température du four à 160 °C et poursuivez la cuisson 5 minutes jusqu'à ce

que le dessus soit légèrement craquelé.

Recouvrez un torchon humide de papier sulfurisé. Saupoudrez le papier de sucre en poudre. Démoulez le gâteau encore chaud sur le papier sucré. Laissez refroidir 1 à 2 heures. Pendant ce temps, faites mijoter les abricots dans l'eau pendant 10 minutes. Laissez refroidir puis réduisez en purée lisse.

Retirez le papier sulfurisé du gâteau meringué. Nappez de purée d'abricots. Fouettez la crème fraîche, puis incorporez le fromage blanc. Étalez ce mélange sur la purée de fruits.

Enroulez le gâteau sur lui-même en partant d'un petit côté et servez-le en tranches épaisses.

AVEC D'AUTRES FRUITS
Pour un roulé au kiwi et aux fruits de la Passion,
réalisez une meringue comme indiqué ci-contre.
Nappez de 300 ml de crème Chantilly, puis parsemez
la meringue de 3 kiwis coupés en dés et des graines
de 3 fruits de la Passion.

mousse au dulce de leche et aux Maltesers®

Pour **6 personnes**, préparation **15 minutes**
+ refroidissement et réfrigération

Ingrédients

1 150 g de chocolat au lait de bonne qualité
coupé en morceaux

2 200 g de dulce de leche (confiture de lait)

3 250 ml de crème épaisse

4 40 g de Maltesers® concassés
+ un peu pour décorer

Garde-manger

quartiers de citron pour servir, 2 gousses d'ail
écrasées, 6 c. à s. d'huile d'olive vierge extra

Faites fondre le chocolat dans un saladier résistant à la chaleur placé sur une casserole d'eau frémissante, en remuant de temps en temps et en veillant à ce que l'eau ne touche pas le saladier. Laissez tiédir.

Mettez le dulce de leche dans un saladier avec la crème et battez au fouet électrique jusqu'à ce que le mélange commence à épaissir et nappe le fouet lorsque vous le soulevez.

Incorporez un peu de ce mélange dans le chocolat fondu, puis versez le tout sur le mélange au dulce de leche en remuant jusqu'à obtention d'une texture homogène. Incorporez les éclats de Maltesers®.

Répartissez dans 6 petits verres ou coupes à dessert et placez au réfrigérateur pendant 15 à 30 minutes (pas plus, sinon les Maltesers® risquent de se dissoudre dans la mousse). Parsemez quelques éclats de Maltesers® pour décorer avant de servir.

granité à la menthe

Pour **6 personnes**, préparation **20 minutes**
+ refroidissement et congélation, cuisson **4 minutes**

Ingrédients

1   25 g de menthe fraîche + quelques brins
pour décorer

Garde-manger
200 g de sucre en poudre, 300 ml d'eau + un peu
pour compléter, le zeste et le jus de 3 citrons jaunes,
sucre glace pour décorer

Versez le sucre et 300 ml d'eau dans
une casserole. Ajoutez le zeste et le jus
des citrons. Faites chauffer à feu doux.
Quand le sucre est dissous, augmentez
le feu et faites bouillir 2 minutes.
Détachez les feuilles de menthe des tiges.
Ciselez-en une partie de manière à obtenir
environ 3 cuillerées à soupe. Réservez. Mettez
les feuilles les plus grosses et les tiges dans
le sirop chaud. Laissez infuser 1 heure,
pendant que le sirop refroidit.

Filtrez le sirop dans une carafe. Ajoutez
la menthe ciselée et complétez avec de l'eau
froide jusqu'à 600 ml. Versez le mélange dans
un petit plat à gratin et placez 2 à 3 heures
au congélateur.

Brisez les cristaux de glace avec une
fourchette, puis remettez au congélateur
pendant 2 à 3 heures. Répétez cette opération
encore une ou deux fois jusqu'à ce que le
mélange ait la consistance de la glace pilée.
Répartissez le granité dans de petits verres.
Décorez avec quelques brins de menthe
saupoudrés de sucre glace ou laissez au
congélateur pour une utilisation ultérieure.
Dans ce cas, sortez le granité du congélateur
15 minutes avant de servir.

table des recettes

découvrez toute la collection
MA PETITE CUISINE MARABOUT

100 gâteaux et desserts
100 recettes italiennes
100 recettes light
100 recettes végétariennes
200 recettes spéciales régime 5:2
200 petits plats chinois
100 recettes tradition
100 gâteaux & desserts de Mamie
100 super mugcakes
200 super cupcakes
100 super macarons
200 recettes comme à New York
200 recettes au wok
200 recettes sans gluten
200 super smoothies
200 super cocktails
200 recettes pour l'apéro
200 recettes au chocolat
200 recettes à moins de 5 euros
200 recettes prêtes en moins de 20 minutes